Gruppo Italiaidea

beginner and pre-intermediate

NEW **Italian Espresso**

TEXTBOOK + ebook

Italian course for English speakers

updated edition

ALMA Edizioni

I nuovi contenuti di questa edizione aggiornata di **New Italian Espresso** sono stati elaborati, oltre che da **ALMA Edizioni**, da **Paolo Bultrini**, che ha curato i nuovi testi e i nuovi ascolti del Textbook, le attività di scrittura, il caffè culturale delle unità 3 e 5 e l'intera unità 12.

New Italian Espresso beginner and pre-intermediate – updated edition è stato concepito a partire da *New Italian Espresso beginner and pre-intermediate* del Gruppo Italiaidea composto da Paolo Bultrini e Filippo Graziani (©ALMA Edizioni, 2014), in cui erano stati utilizzati e rielaborati materiali creati dal Gruppo Italiadea – Paolo Bultrini, Filippo Graziani, Nicoletta Magnani – per *Italian Espresso 1* (©ALMA Edizioni, 2006) e materiali di *Nuovo Espresso 1* (©ALMA Edizioni, 2014) e *Nuovo Espresso 2* (©ALMA Edizioni, 2014). *Italian Espresso 1* è stato a sua volta concepito a partire da materiali creati originariamente da Maria Balì, Giovanna Rizzo e Luciana Ziglio per *Espresso 1* (©ALMA Edizioni, 2001) e *Espresso 2* (©ALMA Edizioni, 2002).

Si ringraziano **Chiara Alfeltra**, **Laura Mansilla**, **Francesca Romana Patrizi**, **Matteo Scarfò**, **Anna Clara Ionta** (Loyola University of Chicago), **Renée D'Elia-Zunino** (University of Tennessee, Knoxville), **Andrea Casson** (Fashion Institute of Technology, New York), **Imperatrice Di Passio** (Georgetown University, Firenze), **James Fortney** (University of Southern California, Los Angeles) e tutti i professori e tutte le professoresse che ci hanno aiutato con le loro osservazioni e i loro suggerimenti.

Direzione editoriale: **Ciro Massimo Naddeo**
Redazione: **Diana Biagini** e **Marco Dominici**
Layout e impaginazione: **Lucia Cesarone** e **Gabriel de Banos**
Copertina: **Lucia Cesarone**
Illustrazioni: **ofczarek!**

ALMA Edizioni
viale dei Cadorna, 44
50129 Firenze
alma@almaedizioni.it
www.almaedizioni.it

What is
NEW ITALIAN ESPRESSO?

NEW Italian Espresso is the first authentically "made in Italy" Italian course designed for students at American colleges and universities, both in the United States and in study abroad programs in Italy, as well as in any Anglo-American educational institution around the world.

This volume is specifically designed for beginners and pre-intermediate students. It takes into account key provisions of the ACTFL Proficiency Guidelines and covers all novice levels up to lower intermediate.

Its innovative teaching method is based on a communicative approach and provides a learner-centered syllabus by which students can effectively learn while enjoying themselves. In line with ALMA Edizioni's tradition, this method combines scientific rigor with a modern, dynamic and motivating teaching style.

The course places a strong emphasis on:

- Communication (students are enabled to speak and interact in Italian from an early stage)
- Non-stereotypical situations and topics
- Motivating teaching activities
- Inductive grammar
- A textual approach
- Culture (the introductory pages and specific cultural sections provide thorough information on Italy's contemporary lifestyle and habits and aim to encourage intercultural discussions; a LITERARY SECTION introduces the student to Italian literature, offering a selection of excerpts from contemporary Italian authors)
- Strategies aimed at developing autonomous learning
- Written work (as seen in the new section called WRITING ACTIVITIES)
- Multimedia resources

This new edition includes an eBook version of the textbook, which now offers interactive activities and immediate feedback, as well as the option for the instructor to assign homework and track student progress.

A Workbook with new exercises, new listening activities and four self-assessment tests is also available, as well as a web-based teacher's pack including Textbook and Workbook keys, activity instructions, transcriptions and additional resources such as test banks, supplementary materials and audio tracks – which are all downloadable.

INTRODUCTION

What is new and improved
in the NEW ITALIAN ESPRESSO updated edition?

This **updated**, **improved** version features a large variety of new elements, such as **new texts**, **new activities** and a set of **six extra pages of literary texts** at the end of the book.

In each Unit

- an introductory page presenting the unit topic
- new written and oral texts
- new listening, reading, and speaking activities
- expanded grammar section
- a section specifically dedicated to writing activities
- a glossary arranged by semantic field or grammatical category
- video episodes (with activities and exercises) directly available online, thanks to easy to use QR codes

At the end of the book

- a set of six extra pages with excerpts from novels by contemporary Italian authors – accompanied by reading comprehension, vocabulary, and grammar exercises

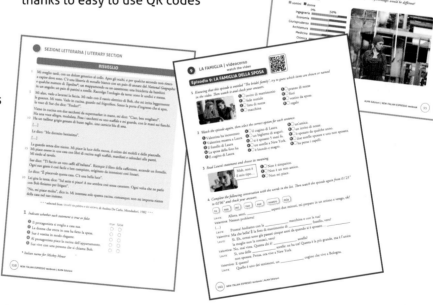

eBook

The print edition contains a code to access the eBook – which offers multimedia and interactive activities, as well as the option for the instructor to track student progress.

Online

- a lot of teaching and learning resources and multimedia files

Go to **www.almaedizioni.it**
and enter the **NEW Italian Espresso** page.

COMPETENCIES	GRAMMAR	VOCABULARY

UNITÀ 1 · PRIMI CONTATTI p. 9

COMPETENCIES	GRAMMAR	VOCABULARY
• greeting people upon arriving and leaving • introducing yourself • asking about pronunciation, spelling and meaning • asking about someone's place of origin • giving your phone number	• pronunciation of *C* and *G* • present tense of *essere*, *chiamarsi* and first conjugation verbs (singular forms: *io* and *tu*) • the alphabet • singular forms of adjectives ending in *-o* and *-a* • preposition *di* + city names, preposition *in* + country names and preposition *a* + city names	• greetings • classroom objects • adjectives of nationalities • country names • numbers from 0 to 20

grammatica 1 p. 20 • glossario 1 p. 22 • caffè culturale 1 **SALUTI** p. 23 • videocorso 1 **AMICI** p. 24

UNITÀ 2 · BUON APPETITO! p. 25

COMPETENCIES	GRAMMAR	VOCABULARY
• ordering in a café and in a restaurant • asking for things in a polite way • thanking someone • asking for the bill • asking for price	• plural and singular nouns • definite articles • indefinite articles • demonstrative (singular) pronouns: *questo*, *quello*	• food, beverages, courses and meals • *Scusi!*, *per favore*, *per cortesia*, *per piacere*, *grazie*, *prego* • numbers from 20 to 100

grammatica 2 **p. 36** • glossario 2 **p. 38** • caffè culturale 2 **GELATO, CHE PASSIONE!** p. 39 • videocorso 2 **UN PRANZO VELOCE** p. 40

UNITÀ 3 · IO E GLI ALTRI p. 41

COMPETENCIES	GRAMMAR	VOCABULARY
• introducing someone • describing people's activities on a specific day of the week • asking for someone's age and occupation • telling dates • asking someone how he / she is	• present tense: third singular person of first, second and third conjugation verbs • present tense: singular forms of irregular verbs (*essere, avere, fare, andare, stare*) • nouns: special cases • prepositions *in* + country names, *a* + city names and *per* + city and country names • formal and informal address • pronunciation of statements and questions	• world languages • professions • workplaces • days of the week • *Come sta? / Come stai?, Come va?* • numbers from 100 onwards

grammatica 3 **p. 52** • glossario 3 **p. 54** • caffè culturale 3 **DONNE E LAVORO IN ITALIA** p. 55 • videocorso 3 **L'ANNUNCIO** p. 56

UNITÀ 4 · TEMPO LIBERO p. 57

COMPETENCIES	GRAMMAR	VOCABULARY
• talking about free time and leisure activities • talking about how often one does something • talking about people's interests and occupations • expressing one's likes and dislikes	• present tense: plural persons of first, second and third conjugation verbs • present tense: plural persons of irregular verbs (*andare, avere, bere, essere, fare, stare*) • *piacere* • *sapere* vs *conoscere*	• free time activities • parts of the day • university faculties • interrogatives: *com'è, con chi, di che cosa, quanti, perché, dove, come* • adverbs of frequency • expressions with verb *avere*

grammatica 4 p. 70 • glossario 4 p. 72 • caffè culturale 4 **RISTORANTE, TRATTORIA O...?** p. 73 • videocorso 3 **IL QUIZ PSICOLOGICO** p. 74

SUMMARY

COMPETENCIES	GRAMMAR	VOCABULARY

UNITÀ 5 · IN GIRO PER L'ITALIA p. 75

COMPETENCIES	GRAMMAR	VOCABULARY
• describing a city, a neighborhood, a street • talking about the quality of life in a given city • following and giving street directions • asking and telling time	• present tense: complete conjugation of *dare, rimanere, dire, scegliere, uscire* and *venire* • preposition *a* vs preposition *in* • *c'è / ci sono* • singular and plural forms of adjectives ending with *-o, -a, -e* • noun-adjective agreement	• means of transport • common adjectives • street directions • street furniture and urban environment • shops and services • *Che ora è? / Che ore sono?*

grammatica 5 p. 90 • glossario 5 p. 92 • caffè culturale 5 **QUANTA ITALIA C'È IN TE?** p. 93 • videocorso 5 **LA SECONDA A DESTRA** p. 94

UNITÀ 6 · IN ALBERGO p. 95

COMPETENCIES	GRAMMAR	VOCABULARY
• understanding hotel brochures • describing a hotel and a room • complaining about hotel room • asking for information on accommodation • asking for and giving timetable information • talking about holiday activities	• present tense: modal verbs *dovere, potere* and *volere* • adverbs: *bene* and *male* • compound prepositions • focus on preposition *a*	• types of accomodation • time indicators: *ieri, oggi, domani, dopodomani, stamattina, oggi pomeriggio, stasera, stanotte, domattina, domani pomeriggio, domani sera, domani notte* • home furniture and features • months and seasons • holiday activities

grammatica 6 p. 106 • glossario 6 p. 108 • caffè culturale 6 **MANCIA E SCONTRINO: CHE COSA SONO?** p. 109 • videocorso 6 **IN VACANZA** p. 110

UNITÀ 7 · UN FINE SETTIMANA p. 111

COMPETENCIES	GRAMMAR	VOCABULARY
• understanding travel brochures • talking about past actions and understanding descriptions of past events • specifying when a past event took place • asking for and providing information on means of transport, prices and time	• past tense: *passato prossimo* • forms and agreement of the past participle • irregular past participles • verbs taking *essere* as an auxiliary • adverbs of time • *ci vuole / ci vogliono*	• weather conditions • time indicators: *stamattina, ieri, l'altro ieri, scorso, fa, già, appena, non ancora* • holiday activities

grammatica 7 p. 126 • glossario 7 p. 128 • caffè culturale 7 **DOVE ANDIAMO IN VACANZA?** p. 129 • videocorso 7 **CHE COS'HAI FATTO TUTTO IL GIORNO?** p. 130

UNITÀ 8 · VITA QUOTIDIANA p. 131

COMPETENCIES	GRAMMAR	VOCABULARY
• describing one's work habits and working hours • commenting on someone else's lifestyle • describing and asking about someone's daily routine • congratulating someone on special occasions and public holidays • saying the date • talking about public holidays • writing a greeting card	• prepositions: *da… a…* • prepositions *a* and *di* + infinitive • present tense: reflexive verbs • position of the reflexive pronoun in modal verbs • possessive adjectives: singular and plural forms of *mio* and *tuo*	• everyday actions • the date • congratulations and wishes for special occasions • Italian main public holidays

grammatica 8 p. 142 • glossario 8 p. 144 • caffè culturale 8 **COSA REGALANO GLI ITALIANI** p. 145 • videocorso 8 **L'AGENDA DI LAURA** p. 146

COMPETENCIES	GRAMMAR	VOCABULARY

UNITÀ 9 · LA FAMIGLIA p. 147

COMPETENCIES	GRAMMAR	VOCABULARY
• describing a family tree • talking and writing about one's family and family habits • talking about past events • inquiring about someone's past actions	• possessive adjectives (all forms) • possessive adjectives + nouns referring to family relationships • past tense: *passato prossimo* form of reflexive verbs	• family relationships • the ages of life • common adjectives

grammatica 9 p. 158 • glossario 9 p. 160 • caffè culturale 9 **I GESTI ITALIANI** p. 161 • videocorso 1 **LA FAMIGLIA DELLA SPOSA** p. 162

UNITÀ 10 · SAPORI D'ITALIA p. 163

COMPETENCIES	GRAMMAR	VOCABULARY
• talking about one's eating habits • writing a shopping list • talking about typical Italian recipes • understanding recipe instructions • doing grocery shopping • indicating quantities	• direct pronouns: forms and position • partitive use of preposition *di* • *ne*	• food and dishes • measurement units: *chilo, etto, grammo, litro* • food packaging • cooking utensilis

grammatica 10 p. 174 • glossario 10 p. 176 • caffè culturale 10 **L'ITALIA NEL PIATTO** p. 177 • videocorso 10 **IL PANINO PERFETTO** p. 178

UNITÀ 11 · FARE ACQUISTI p. 179

COMPETENCIES	GRAMMAR	VOCABULARY
• talking and asking about events that will occur in the future • shopping for clothes and shoes • describing one's look on special occasions	• future tense (regular and irregular forms) • direct and indirect pronouns: forms and position • verbs + indirect pronouns • *piacere* + indirect pronouns • demonstrative adjectives: *quello* (singular and plural forms) • *poco, molto, tanto, troppo*	• colors, fabrics and fabric patterns • clothing • *stare bene / male (a qualcuno)* • time indicators: *più tardi, domattina, prossimo, tra, prima o poi, un giorno, presto*

grammatica 11 p. 190 • glossario 11 p. 192 • caffè culturale 11 **LA MODA ITALIANA** p. 193 • videocorso 11 **COME MI STA?** p. 194

UNITÀ 12 · IL MONDO CHE CAMBIA p. 195

COMPETENCIES	GRAMMAR	VOCABULARY
• talking about technology and your relationship with it • recalling events that have been repeated several times in the past • talking about your younger days • expressing your opinion on the advantages and disadvantages of technology	• past tense: *imperfetto* (forms and use) • *imperfetto* forms of irregular verbs: *essere, fare, bere, dire* • *passato prossimo* vs *imperfetto* • agreement between direct pronouns and past participles	• techology • travels • time and frequency indicators: *di solito, normalmente, generalmente, una volta, mentre, da bambino*

grammatica 12 p. 204 • glossario 12 p. 206 • caffè culturale 12 **LA STORIA DELL'ITALIA MODERNA IN SEI OGGETTI** p. 207 • videocorso 12 **DA BAMBINA ABITAVO QUI** p. 208

SUMMARY

COMPETENCIES	GRAMMAR	VOCABULARY

UNITÀ 13 · COME SIAMO p. 209

COMPETENCIES	GRAMMAR	VOCABULARY
• understanding and giving physical descriptions • describing one's personality • reading the horoscope • making, accepting and refusing an invitation • describing actions which are going on right now	• use of auxiliaries *essere* and *avere* with verbs *cominciare* and *finire* • absolute superlative • *molto* (adjective and adverb) • *avere* and *essere* + modal verbs • progressive form with *stare* + present gerund • present gerund forms of regular and irregular verbs (*dire, fare, bere*)	• nouns and adjectives for physical descriptions (face and body) • personality adjectives • zodiac signs • *ti va di, che ne dici di, mi dispiace, veramente non mi va, volentieri, hai voglia di, dai*

grammatica 13 p. 220 • glossario 13 p. 222 • caffè culturale 13 **ITALIANI CELEBRI** p. 223 • videocorso 13 **UNA SERATA TRA AMICI** p. 224

UNITÀ 14 · CASA DOLCE CASA p. 225

COMPETENCIES	GRAMMAR	VOCABULARY
• understanding and writing short rental ads • understanding and giving home descriptions • expressing wishes • expressing the consequence of a possible hypothesis • expressing likes and dislikes • giving advice	• comparatives (minority, majority and equality) • present conditional (regular and irregular forms) • *ci*	• ordinal numbers • home features and furniture • house types • *al posto* + possessive adjective

grammatica 14 p. 236 • glossario 14 p. 238 • caffè culturale 14 **TIPI DI ABITAZIONE** p. 239 • videocorso 14 **UNA VITA POCO SANA** p. 240

UNITÀ 15 · VIVERE IN ITALIA p. 241

COMPETENCIES	GRAMMAR	VOCABULARY
• comparing Italian social habits and traditions with those of other countries • understanding travel brochures and travel blogs • understanding and giving orders, recommendations and instructions • underlining cultural differences	• *imperativo informale singolare* and *imperativo plurale* (affirmative and negative forms) • position of direct and indirect pronouns with *imperativo* • irregular forms of *imperativo* • direct and indirect pronouns, *ci* and *ne* + contracted forms of *imperativo*	• tourist activities and accommodation solutions • Italian habits and traditions • types of coffee • *Mi raccomando!*

grammatica 15 p. 252 • glossario 15 p. 254 • caffè culturale 15 **CHE DIFFERENZA...!** p. 255 • videocorso 15 **CONOSCERE LE LINGUE** p. 256

SEZIONE LETTERARIA / LITERARY SECTION p. 257

PRIMI CONTATTI

In this unit you will learn how to:
- greet people upon arriving and leaving
- introduce yourself
- ask about pronunciation, spelling and meaning
- ask about someone's place of origin
- give your phone number

listen to
the recordings
of unit 1

Why did you
decide to learn
Italian?

Do you already
know some words
in Italian?

1 ASCOLTO | *Ciao* o *buongiorno?* · WB 1   1 🔊

a. *Listen to the recording and put the four conversations in the order in which they appear. Then complete the conversations with the greetings in the list below.*

(ciao)   (buonasera)   (buongiorno)

■ _____, Giorgio!
▼ _____, Anna!

■ _____, signora!
▼ _____, dottore!

■ _____, professore!
▼ _____!

■ _____, Paola!
▼ Oh, _____, Francesca!

b. *How do you greet people at various times of the day? Complete the table.*

	informale	formale

> **Buonasera** is generally used after 5 or 6 PM, but in many Italian towns it is also used after 1 PM.
>
> **Arrivederci** is used upon leaving in formal conversations any time of the day, while **ciao** is used both upon arriving and upon leaving any time of the day, but only in strictly informal conversations.

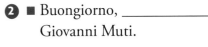

2 ASCOLTO | *Scusa, come ti chiami?* · WB 2   2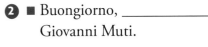

a. *Close the book, listen to the recording, then work with a partner and share information on the conversations.*

b. *Listen again and complete the conversations with the words in the list below.*

sono

sono

ti chiami

❶ ■ Ciao, _____ Valeria,
    e tu come _____?
  ▼ Alberto. E tu?
  ● Io Cecilia.

❷ ■ Buongiorno, _____
    Giovanni Muti.
  ▼ Piacere, Carlo De Giuli.

c. *Insert the forms of the verbs from the above conversations in the table below.*

	essere	chiamarsi
io		mi chiamo
tu	sei	

3 ESERCIZIO ORALE | *E tu come ti chiami?*

Go round the classroom and introduce yourself to your classmates.

Esempio:
■ Ciao, sono Giovanni e tu come ti chiami?
▼ Mi chiamo Francesca. Piacere!
■ Piacere!

 ATTIVITÀ
DI SCRITTURA 1
go to page 21

4 ASCOLTO | L'alfabeto italiano · WB 3 / 4   3
Listen and repeat.

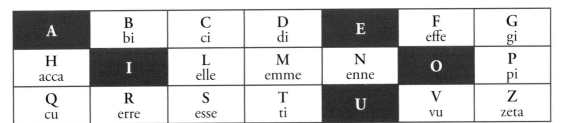

A	B bi	C ci	D di	E	F effe	G gi
H acca	I	L elle	M emme	N enne	O	P pi
Q cu	R erre	S esse	T ti	U	V vu	Z zeta

foreign letters	J i lunga	K kappa	W doppia vu	X ics	Y ipsilon

5 ASCOLTO | Il personaggio misterioso 4 ((►

Listen to the recording and write the letters you hear. You will find the names of four famous people: two of them are Italians, two of them have Italian origins.

❶ _____ _____

❸ _____ _____

❷ _____ _____

❹ _____ _____

6 ESERCIZIO SCRITTO | *Come si scrive?*

Work with a partner and take turns to ask how to spell each other's names.

Esempio:
■ Come si scrive il tuo nome?
▼ Si scrive _____.
■ E come si scrive il tuo cognome?
▼ Si scrive _____.
■ Scusa, puoi ripetere per favore?
▼ Si scrive _____.

Francesca Bellucci
↑ nome   ↑ cognome

7 ASCOLTO | *C come ciao* · WB 5 / 6 / 7 5 ((►

a. *Listen to the recording and repeat the words in the list.*

caffè · Garda · piacere · spaghetti · parmigiano · ciao · arrivederci
zucchero · chitarra · gelato · Genova · faccio · parco · funghi
formaggio · buongiorno · lago · ragù · cuore

b. *Put the words in order according to the following sounds.*

ciao → _____
caffè → _____
gelato → _____
Garda → _____

C is pronunced like in *change* when it comes before _____ and _____ and like in *cat* when it comes before _____, _____, _____ and _____.

G is pronunced like in *George* when it comes before _____ and _____ and like in *gold* when it comes before _____, _____, _____ and _____.

8 PRATICA ORALE | *Come si pronuncia?*   6 🔊

a. *Work with a partner and take turns to ask each other how to pronounce these words.*

Esempio:
■ Come si pronuncia questa parola?
▼ Si pronuncia *macchina*.

macchina

bicicletta

cioccolata

chiesa

valigia

arancia

chiave

vigile

giornale

orologio

b. *Now check the pronunciation with the recording.*

9 ESERCIZIO ORALE E SCRITTO | *Che cosa significa?* · WB 8

*Work in pairs. **Student** A looks at this page and **Student** B at the next page.*

Student A
Ask **Student** B what one of the words written below means,
as in the example.
Write **Student** B's answer under the corresponding illustration.
Then take turns asking each other all the remaining words.

Esempio:
A: Che cosa significa
sedia?
B: Significa *chair*.

insegnante   finestra   ✔ sedia   libro   penna

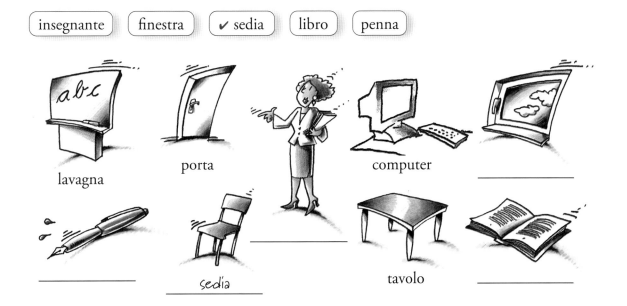

lavagna

porta

computer

_____

_____

sedia
_____

tavolo

_____

Student B
Answer **Student A**'s question, as in the example.
Then ask **Student A** what one of the words written below means.
Write **Student A**'s answer under the corresponding illustration.
Then take turns asking each other all the remaining words.

Esempio:
A: Che cosa significa *sedia?*
B: Significa *chair.*

lavagna   porta   computer   tavolo

finestra

insegnante

penna   sedia   libro

10 **ASCOLTO | *Di dove sei?*** · WB 9   7)
Listen to the conversations and match people with their nationalities, as in the example.

1 italiana _____ _____

2 _____ _____

country	masculine	feminine
Argentina	argentino	argentina
Australia	australiano	australiana
Brasile	brasiliano	brasiliana
Canada	canadese	canadese
Cina	cinese	cinese
Francia	francese	francese
Germania	tedesco	tedesca
India	indiano	indiana
Inghilterra	inglese	inglese
Irlanda	irlandese	irlandese
Italia	italiano	italiana
Messico	messicano	messicana
Spagna	spagnolo	spagnola
Stati Uniti	americano*	americana*

_____ _____   _____ _____ _____

Nazionalità

femminile
Io sono italiana.
Io sono irlandese.

maschile
Io sono italiano.
Io sono irlandese.

> * In everyday language, Italians use the word **americano** to refer to anyone from the U.S. The other form **statunitense** is seldom used.

11 ESERCIZIO SCRITTO | *E tu?*   8 ((►

a. *Complete the conversation below using the words in the list.*

(di) (dove) (sono) (di) (sei)

- ■ _____ americano?
- ▼ No, _____ australiano. E tu, _____ _____ sei?
- ■ Sono spagnola, _____ Madrid.

b. *Now listen again to the second conversation of activity* **10** *and check your answers.*

12 ESERCIZIO ORALE | *Sei francese?* · WB 10 / 11 / 12

Work with a partner. Repeat the conversation with different nationalities and cities, as in the example. Take turns to continue with all the remaining nationalities and cities.

Esempio:
inglese / irlandese / russo / Mosca
■ Sei inglese?
▼ No, sono irlandese. E tu di dove sei?
■ Sono russo/a, di Mosca.

1 italiano / spagnolo / tedesco / Berlino
2 messicano / colombiano / francese / Parigi
3 americano / australiano / giapponese / Tokyo
4 brasiliano / portoghese / irlandese / Dublino
5 inglese / statunitense / canadese / Toronto

13 ESERCIZIO ORALE E SCRITTO | *Come si dice?*

Do you remember what these things are called in Italian? Ask your partner whether he / she knows those that you can't remember.

14 LETTURA | *Sei italiano?*

Complete the conversation by inserting Rose's answers from the list on the right.

■ Ciao, sono Antoine, tu come ti chiami?

▼ _____

■ Ah! E in Australia dove abiti?

▼ _____

■ No, sono francese, di Parigi, ma studio in Italia.

▼ _____

■ Economia, e tu?

▼ _____

■ Dove lavori?

▼ _____

■ E a Roma dove abiti?

▼ _____

■ Beata te! Io invece abito in periferia.

> Abito in centro con la famiglia.

> Io non studio. Lavoro part-time.

> Rose, sono australiana.

> Lavoro come babysitter per una famiglia italiana.

> A Melbourne. E tu, sei italiano?

> Che cosa studi?

15 RIFLETTIAMO | Presente indicativo e preposizioni • WB 13 / 14 / 15 / 16 / 17

a. *Find in the above conversation the forms of the verbs **abitare**, **lavorare** and **studiare** and insert them in the following table.*

	abit**are**	lavor**are**	studi**are**
io		lavoro	
tu			studi

b. *Read the conversation again and complete the following table with missing prepositions.*

esempio	preposizione	
(io) sono _____ Denver	_____	+ city names, to indicate where one comes from
(io) abito (io) lavoro _____ Firenze (io) studio _____ Irlanda (io) sono	_____	+ city names, to indicate where one is / lives / works
	_____	+ countries or regions, to indicate where one is / lives / works

16 **ESERCIZIO ORALE** | *Abiti in centro?*

Work with a partner. Take turns to ask and answer the questions, as in the example.

> Esempio:
> abitare in centro / in periferia
> ■ Abiti in centro?
> ▼ No, **non** abito in centro, abito in periferia.

ATTIVITÀ
DI SCRITTURA 2
go to page 21

1 studiare in Italia / in Inghilterra
2 parlare spagnolo / italiano
3 visitare Firenze / Roma
4 abitare a Milano / a Venezia
5 lavorare in banca / in ospedale
6 essere di Torino / di Napoli
7 ascoltare rock / hip hop
8 abitare in Italia / in Francia

17 **ESERCIZIO ORALE** | *Piacere!*

Imagine that you are a foreign student on your first day of an Italian course in Rome: write on a piece of paper your name, nationality and the city where you live. Then work with a partner and introduce yourselves to each other.

18 **ASCOLTO** | **Numeri da zero a venti** • WB 18 / 19 / 20   9
Listen and repeat.

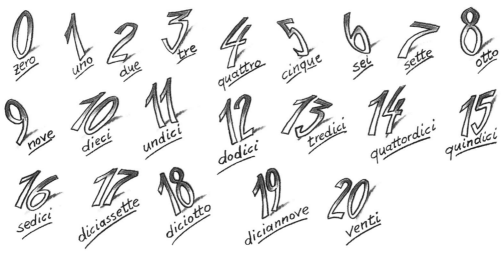

19 ESERCIZIO ORALE | *Che numero è?*

Write in the box on the left seven numbers of your choice from 0 to 20 then dictate them to your partner, who must write them in the box on the right. Then compare the results.

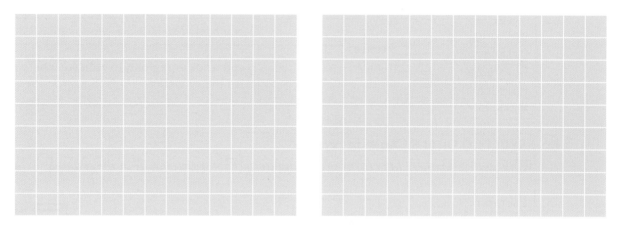

20 LETTURA | *Qual è il tuo numero di telefono?* · WB 21 / 22 / 23

ATTIVITÀ DI SCRITTURA 3
go to page 21

Complete the conversation with the questions in the list on the right.

■ _____
▼ 347 762 17 82.
■ _____
▼ 347 762 17 82.
■ _____
▼ Via Garibaldi, 22.
■ _____
▼ Sì, r.mattei@gmail.com

> Ah, scusa, hai anche un'e-mail?

> E qual è il tuo indirizzo?

> Come, scusa?

> Qual è il tuo numero di telefono?

@ = chiocciola
. = punto
- = trattino
_ = trattino basso / underscore

21 ESERCIZIO ORALE E SCRITTO | Rubrica telefonica

*Go round the classroom asking for your classmates' telephone number and e-mail address,
as in the example. Then write them in the table below.*

Esempio:
▼ Qual è il tuo numero di telefono?
■ 347 35441418.
▼ E l'e-mail?
■ elena.marchi@outlook.com

nome	telefono	e-mail

22 LESSICO | Alla fine della lezione · WB 24

At the end of the lesson say goodbye to your classmates.

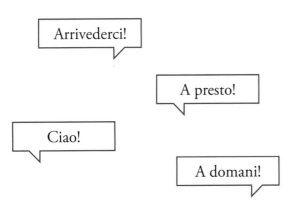

Arrivederci!

A presto!

Ciao!

A domani!

Buonanotte!

PRONUNCIA – PRONUNCIATION

		esempio	pronuncia
c	+ a, o, u	casa	*as in* **cat**
ch	e, i	chilo	

		esempio	pronuncia
c	+ e, i	città	*as in* **change**
ci	a, o, u	cioccolata	

g	+ a, o, u	gonna	*as in* **gold**
gh	e, i	lunghe	

g	+ e, i	gelato	*as in* **George**
gi	a, o, u	giacca	

sc	+ a, o, u	scuola	*as in* **sky**
sch	e, i	schema	

sc	+ e, i	sci	*as in* **sky**
sci	a, o, u	sciarpa	

When two vowels are next to each other, they are pronounced separately.

Europa → [ɛ] + [u]   v**ie**ni → [ɪ] + [ɛ]   pa**u**sa → [ɑ] + [u]

PRESENTE INDICATIVO – PRESENT TENSE: *IO, TU*

In Italian, most verbs fall into one of the following three categories:
- *verbs that end in -**are** (1st conjugation),*
- *verbs that end in -**ere** (2nd conjugation),*
- *verbs that end in -**ire** (3rd conjugation).*

*Italian has verb conjugations. This means that verbs change their endings depending on the person they are referring to: each person has a different ending. The present tense of verbs belonging to the first conjugation (i.e., ending in -**are**) can be formed by dropping the last three letters of the infinitive and adding -**o** for the first singular person (**io** → I) or -**i** for the second singular person (**tu** → you).*

*Personal subject pronouns are usually omitted since the indication of the person is given by the verb ending. Therefore, it is not usually necessary to say "Io abito in centro", unless of course one wishes to emphasize the subject of a sentence, e.g., **io** (I). It is enough to simply say, "Abito in centro".*

	abit**are**	lavor**are**	studi**are**
io	abit**o**	lavor**o**	studi**o**
tu	abit**i**	lavor**i**	studi**i**

ABIT-A̶R̶E̶ → ABIT-O
↑   ↑ ↑
root   root ending

■ Dove abiti?
▼ Abito a Roma, in centro.

ESSERE AND *CHIAMARSI*

	essere	chiamarsi
io	sono	mi chiamo
tu	sei	ti chiami

■ Io sono Anna. Tu come ti chiami?
▼ Mi chiamo James.
■ Sei canadese?
▼ No, sono americano, di Boston.

AGGETTIVI SINGOLARI – SINGULAR ADJECTIVES

*Adjectives are words naming an attribute of a noun, such as **Italian**, **happy**, or **difficult**. In Italian adjectives agree in gender and number with the nouns to which they refer.*

Adjectives ending in:
- *-**o** refer to singular masculine nouns,*
- *-**a** refer to singular feminine nouns,*
- *-**e** can refer to both masculine and feminine nouns.*

John è australian**o**.
Rose è australian**a**.
Paul è ingle**se**.
Emily è ingle**se**.

PREPOSIZIONI – PREPOSITIONS: *DI, A, IN*

Prepositions are words used to link nouns, pronouns, or phrases to other words within a sentence, such as, in English: **in**, **for**, **at**, **on**, *etc.*

*Di indicates the city of origin (combined with **essere**).*

A indicates the city where one is / lives / works, etc.

In indicates the country where one is / lives / works, etc.

*Country names which contain a plural word (such as **Stati Uniti, Emirati Arabi Uniti, Filippine**, etc.) require **negli** for the masculine form and **nelle** for the feminine form.*

Sono **di** Milano. / Sono **di** Boston.

Abito **a** Verona. / Sono **a** Londra.

Vivo **in** Italia. / Sono **in** Spagna.

Studio **negli** Stati Uniti. / Vivo **nelle** Filippine.

 ## ATTIVITÀ DI SCRITTURA · WRITING ACTIVITIES

1 Presentarsi

Write two brief conversations in which these people introduce and greet one another. Use an informal style or register. You can use these words:

ciao   buongiorno   piacere

mi chiamo   ti chiami   sono   sei

2 Conoscere una persona

Write brief conversations in which two people introduce themselves, say their nationality and country of origin, and talk about their occupation. Use the following elements:

nome   nazionalità   città   occupazione

❶ Teresa / Spagna / Madrid / studiare psicologia
Adrien / Francia / Marsiglia / lavorare in banca

❷ Diana / Messico / Città del Messico / lavorare in ufficio
Tim / USA / Detroit / studiare economia

3 Mi presento

ⓐ *Complete the following identity record with your information.*

SCHEDA PERSONALE

nome: _____   cognome: _____

nazionalità: _____   città: _____

indirizzo: _____   telefono: _____

e-mail: _____

occupazione: _____

ⓑ *Now write a brief personal introduction. Include information from part ⓐ and any other details about yourself that you would like to share.*

GREETINGS

Ciao!	Hi!, Bye!
Buongiorno!	Good morning!
Buonasera!	Good evening!
Arrivederci!	Goodbye!
A presto!	See you soon!
A domani!	See you tomorrow!
Buonanotte!	Good night!

COUNTRIES AND NATIONALITIES

Argentina	→ argentino/a	India	→ indiano/a
Australia	→ australiano/a	Inghilterra	→ inglese
Brasile	→ brasiliano/a	Irlanda	→ irlandese
Canada	→ canadese	Italia	→ italiano/a
Cina	→ cinese	Messico	→ messicano/a
Francia	→ francese	Spagna	→ spagnolo/a
Germania	→ tedesco/a	Stati Uniti	→ americano/a, statunitense

USEFUL SENTENCES AND EXPRESSIONS

Scusa…	Excuse me...
Come ti chiami?	What's your name?
Piacere.	Nice to meet you.
Mi chiamo…	My name is...
Come si scrive?	How do you spell it?
Puoi ripetere?	Can you repeat?
Come si pronuncia?	How do you pronounce it?
Che cosa significa?	What does it mean?
Di dove sei?	Where are you from?
Io sono italiano/a.	I am Italian.
Come si dice?	How do you say…?
Studio in Italia. / negli Stati Uniti.	I study in Italy. / in the United States.
Dove abiti?	Where do you live?
Che cosa studi?	What do you study?
Dove lavori?	Where do you work?
Abito in centro. / in periferia.	I live downtown. / in the suburbs.
Qual è il tuo numero di telefono?	What is your phone number?
Qual è il tuo indirizzo?	What is your address?
Hai un'e-mail?	Do you have an e-mail address?

IN THE CLASSROOM*

sedia (f.)	chair
finestra (f.)	window
insegnante (m./f.)	teacher
libro (m.)	book
penna (f.)	pen
lavagna (f.)	(black)board
porta (f.)	door
tavolo (m.)	table

NOUNS*

signora (f.)	Madam
signore (m.)	Sir
professore (m.)	professor (masculine)
professoressa (f.)	professor (feminine)
nome (m.)	(first) name
cognome (m.)	last name
parola (f.)	word
banca (f.)	bank
macchina (f.)	car
chiesa (f.)	church
bicicletta (f.)	bike
chiave (m.)	key

VERBS

essere	to be
studiare	to study
abitare	to live
lavorare	to work
parlare	to speak, to talk
visitare	to visit
ascoltare	to listen to

NUMBERS FROM 0 TO 20

0	zero
1	uno
2	due
3	tre
4	quattro
5	cinque
6	sei
7	sette
8	otto
9	nove
10	dieci
11	undici
12	dodici
13	tredici
14	quattordici
15	quindici
16	sedici
17	diciassette
18	diciotto
19	diciannove
20	venti

* (m.) *means that the noun is masculine.*
  (f.) *means that the noun is feminine.*

SALUTI

1 *Match sentences and photographs, as in the examples.*

Buongiorno, desidera?

Ciao, a domani!

✔ Ciao!

✔ Grazie, arrivederci.

Buonanotte!

Piacere!

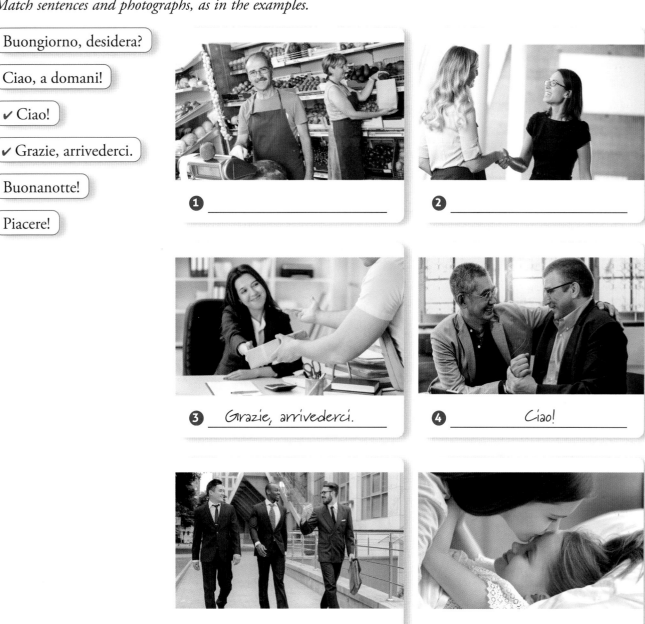

1 _____

2 _____

3 _Grazie, arrivederci._

4 _Ciao!_

5 _____

6 _____

2 *Italians have a rather physical way of greeting each other: greeting often involves cheek kissing and hugging, especially with friends and family. Is it usual in your country to kiss and / or hug someone when meeting him / her?*

1 PRIMI CONTATTI | videocorso
watch the video

Episodio 1: AMICI

1 *Look at the frame before watching the episode.*
Which of the following Italian cities does it show?

ⓐ ○ Roma   **ⓓ** ○ Milano
ⓑ ○ Firenze   **ⓔ** ○ Napoli
ⓒ ○ Venezia   **ⓕ** ○ Palermo

2 *After watching the episode, match people and the correct forms of nationality adjectives with appropriate cities, as in the example. Watch the episode again if necessary.*

❶ Chris   argentino / argentina   Manchester
❷ Olga   francese   Lione
❸ Ann   americano / americana   Boston
❹ Andrew   inglese   Buenos Aires
❺ Sophie   ucraino / ucraina   Sidney
❻ Rodrigo   australiano / australiana Kiev

3 *The episode shows three different ways of greeting someone. Match frames and greetings choosing from those provided in the list below.*

Io sono Andrea. E tu come ti chiami?   Ehi, Federico! Ciao!   Andrea! Ciao!

■ Ciao, Laura!
▼ _____

■ Ehi, Federico! Come stai?
▼ _____

■ _____
▼ Laura. Piacere!

4 *What is Laura's phone number?*
Watch the final part of the episode
again and choose the correct number.

ⓐ ○ 349 2547577
ⓑ ○ 390 1566597
ⓒ ○ 340 1546547

BUON APPETITO!

In this unit you will learn how to:
- order in a café and in a restaurant
- ask for things in a polite way
- thank someone
- ask for the bill
- ask for price

listen to
the recordings
of unit 2

Do you like
Italian food?

Which is
your favourite
Italian dish?

BUON APPETITO!

1 LESSICO | *Che cos'è questo?* • WB 1 / 2

Look at the pictures and write under each one the corresponding name from the list below, as in the example.

| formaggi | ✓ cappuccino | acqua | spaghetti | gelato | pizza |

| cornetto | patatine fritte | torte | pomodori | spremuta | fragole |

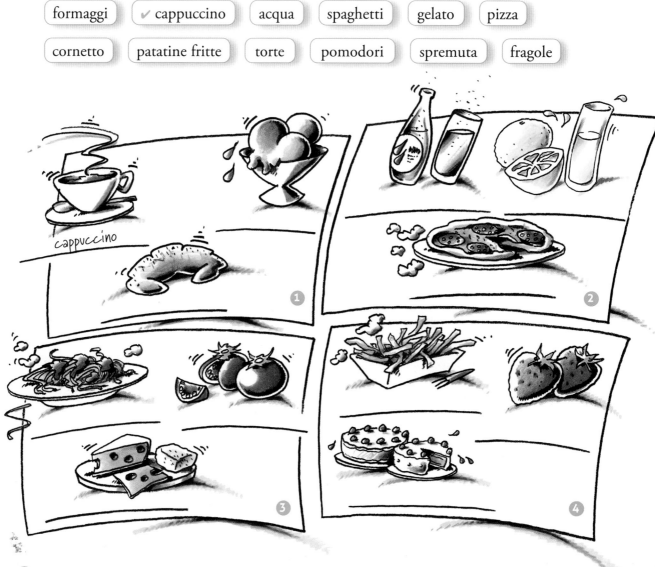

cappuccino

2 SCRIVIAMO | La mia lista

Do you know the names of other types of Italian food or drink? Write them below.

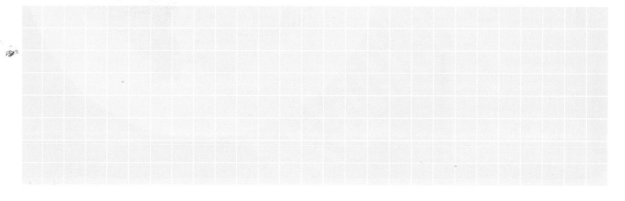

3 RIFLETTIAMO | Sostantivi

a. *Look at the pictures in activity* **1** *and complete the tables.*

❶ maschile singolare	❷ femminile singolare
ⓐ cornett____	ⓐ spremut____
ⓑ cappuccin____	ⓑ acqu____
ⓒ _____	ⓒ _____
❸ maschile plurale	❹ femminile plurale
ⓐ spaghett____	ⓐ patatin____ fritte
ⓑ pomodor____	ⓑ tort____
ⓒ _____	ⓒ _____

b. *Look at the last letter of all the nouns (**sostantivi**) and write it in the appropriate column.*

	maschile	femminile
singolare		
plurale		

4 ASCOLTO | In un bar • WB 3
10

a. *Close the book, listen to the recording, then work with a partner and share information on the conversation. Are there words that also appear in activity* **1***? Which might these be?*

b. *Listen again and complete the conversation with the expressions in the list.*

anch'io   per me   solo   bene   vorrei   io prendo

● Prego, signori.

■ _____ un cornetto e un caffè.

● E Lei, signora?

◆ _____ _____ un cornetto, e poi…
un cappuccino.

● I cornetti con la crema o con la marmellata?

◆ Mmm... con la crema.

■ _____ invece con la marmellata.

● E Lei, che cosa prende?

▼ _____ un tè. Al limone.

● _____, allora: due cornetti, un caffè, un cappuccino e un tè al limone.

5 ESERCIZIO ORALE | *Che cosa prendi?*

Work with a partner. Look at the photographs and take turns repeating the dialogue and changing the word **cornetto** *with the following foods.*

una spremuta

un cappuccino

un gelato

un cornetto

Esempio:
- Io prendo **un cornetto**.
▼ Ah, anch'io vorrei **un cornetto**.
- Bene, allora **due cornetti**.

una pizzetta

un panino

6 PARLIAMO | Al bar

It is 9 AM and you are in an Italian café with a group of friends. The teacher is your waiter. The group orders something to eat and drink for breakfast.

ATTIVITÀ DI SCRITTURA 1
go to page 37

7 LETTURA | Al ristorante • WB 4

Read the menu and explain to one of your classmates the dishes that you know. Then ask the teacher the words that you don't know.

menù

Buca Lapi

ANTIPASTI
Affettati misti
Prosciutto e melone
Bruschette

PRIMI PIATTI
Tortellini in brodo
Tagliatelle ai funghi
Lasagne
Risotto ai funghi
Minestrone
Spaghetti ai frutti di mare
Spaghetti al pomodoro

SECONDI PIATTI

Carne
Spezzatino alla cacciatora
Bistecca di manzo
Cotoletta alla milanese
Pollo alla griglia
Arrosto di vitello

Pesce
Trota
Sogliola
Calamari fritti

Secondi vegetariani
Frittata di zucchine
Parmigiana di melanzane
Pomodori ripieni di riso

CONTORNI
Insalata mista
Patatine fritte
Purè di patate
Spinaci
Peperoni alla griglia
Verdure di stagione

DOLCI
Frutta fresca
Macedonia
Fragole
Gelato
Panna cotta
Tiramisù

BEVANDE
Acqua naturale e gassata
Vino rosso
Vino bianco

8 RIFLETTIAMO | Sostantivi • WB 5 / 6

a. *Find the corresponding words in the previous menu and complete the tables.*

maschile singolare	maschile plurale
tortellino	
	pesci
	risotti
	minestroni
	polli
peperone	

femminile singolare	femminile plurale
verdura	
fragola	
	macedonie
lasagna	
	carni
	cotolette

b. *Work with a partner: find in the previous tables the four nouns which in the singular form do not end in -o or in -a and write them below.*

c. *Now complete the rule.*

① The four nouns that you wrote above are:
- **a** ◯ all masculine
- **b** ◯ all feminine
- **c** ◯ some masculine and some feminine

② These nouns have as their final vowel:
___ in the singular
___ in the plural

---

colazione: breakfast   **fare colazione:** to have breakfast
pranzo: lunch   **pranzare:** to have lunch
spuntino: snack   **fare uno spuntino:** to have a snack
cena: dinner   **cenare:** to have dinner

Italian families often eat together. Lunch and dinner time may change depending on the region (in Southern Italy people usually eat later): lunch can be served between noon and 2 PM, dinner between 7:30 PM and 9:30 PM.

---

9 ASCOLTO | In trattoria • WB 7 / 8 / 9   11 ◖(▶

a. *Close the book, listen to the recording, then work with a partner and share information on the conversation.*

b. *Listen to the conversation again and <u>underline</u> in the list the things ordered by the woman and the boy. Then compare your answers with those of a classmate.*

i tortellini • la Coca-Cola • l'arrosto • le tagliatelle • gli spaghetti • lo spezzatino
la cotoletta • il minestrone • gli affettati misti • il risotto • i peperoni • le patatine fritte
l'acqua • la minestra • l'insalata • gli spinaci • il vino • le arance

10 RIFLETTIAMO | Articoli determinativi · WB 10 / 11

a. *Work with a partner. Put all the words from activity 9 into the table, then answer the questions below.*

	singolare	plurale
maschile		*gli spaghetti*
femminile		*le tagliatelle*

❶ Which of these are masculine articles (**articoli maschili**)? _____, _____, _____, _____, _____.

❷ Which of these are feminine articles (**articoli femminili**)? _____, _____, _____.

b. *Now complete the table with definite articles.*

	singolare	plurale	
maschile	_____ minestrone _____ risotto _____ vino	_____ tortellini _____ peperoni	before a consonant singular: _____ · plural: _____
	_____ arrosto	_____ affettati misti	before a vowel singular: _____ · plural: _____
	_____ spezzatino	_____ spaghetti _____ spinaci	before s + a consonant singular: _____ · plural: _____
femminile	_____ minestra _____ Coca-Cola	_____ tagliatelle _____ patatine fritte	before a consonant singular: _____ · plural: _____
	_____ insalata _____ acqua	_____ arance	before a vowel singular: _____ · plural: _____

11 ESERCIZIO SCRITTO E ORALE | *Preferisci la carne o il pesce?*

a. *Work with a partner. Write the articles next to the nouns below, as in the example.*

Esempio: _la_ verdura / _il_ pesce

__ panna cotta / __ fragole   __ acqua / __ Coca-Cola   __ pasta / __ pizza
__ spaghetti / __ tagliatelle   __ tortellini / __ lasagne   __ spinaci / __ patatine
__ minestrone / __ risotto   __ gelato / __ macedonia   __ bruschetta / __ affettati misti
__ insalata / __ peperoni   __ arrosto / __ frittata   __ acqua naturale / __ acqua gassata

b. *Work with a different partner. In turn ask each other questions as in the example, using the words set out at point* a *(page 30).*

Esempio:
● Prendi **la** carne o **il** pesce?
▼ Prendo **la** carne.

12 ESERCIZIO SCRITTO E ORALE | *Da bere...*
Choose from the list in the previous activity the dishes that you want to order and write them in the box below.
Then work with a partner and compare what you have chosen, as in the example, taking turns.

Da bere: _____
Per antipasto: _____
Per primo: _____
Per secondo: _____
Per contorno: _____
Per dolce: _____

Esempio:
■ Da bere vorrei l'acqua, e tu?
▼ Io prendo il vino bianco.
■ Per primo vorrei le lasagne, e tu?
▼ Anch'io prendo le lasagne.
■ Per secondo vorrei la carne, e tu?
▼ Io prendo il pesce.

13 LETTURA | Messaggio per Joanna
Read the message from Alessandra.

Ciao Joanna,
io sono a una cena di lavoro e torno tardi.
Per la tua cena, nel forno c'è una parmigiana molto buona; se preferisci fare solo uno spuntino, in frigo c'è il prosciutto, un formaggio francese, una mozzarella e un'arancia. Nel freezer c'è un gelato al cioccolato.
Oppure: in piazza Dante c'è una pizzeria molto economica, con 15 euro prendi un antipasto, una pizza o un primo e qualcosa da bere. Però il posto è piccolo, non è facile trovare un tavolo.
Buonanotte, a domani!
Alessandra

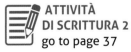
ATTIVITÀ DI SCRITTURA 2
go to page 37

14 RIFLETTIAMO | Articoli indeterminativi singolari • WB 12 / 13

a. *Read Alessandra's message again and find the words shown in the table, then complete the table with the appropriate indefinite articles (**articoli indeterminativi**), as in the example.*

maschile	femminile
_____ spuntino	_una_ cena
_____ formaggio	_____ parmigiana
_____ gelato	_____ mozzarella
_____ antipasto	_____ arancia
_____ primo	_____ pizzeria
_____ tavolo	_____ pizza

b. *Now compare your results with those of a classmate, then answer the following questions:*

1 What is the difference between the masculine indefinite article and the feminine indefinite article before a word which begins with a vowel?

2 What is the indefinite article which comes before a masculine word that begins with *s* followed by a consonant?

15 ESERCIZIO SCRITTO | Articoli indeterminativi

Work with a partner. In three minutes write as many words which correspond to the four indefinite articles as you can.

un	
uno	
una	
un'	

16 ASCOLTO | *Il conto, per favore!* • WB 14 / 15 / 16
12 ◄▶

a. *Close the book, listen to the recording, then work with a partner and share information on the conversation.*

b. *Listen to the conversation again, then complete it with the words in the list.*

(per favore) (scusi) (grazie) (per cortesia)

● _____!

■ Sì, dica.

● Vorrei un caffè, _____.

■ Certo, signora. Prima del caffè, desidera qualcos'altro?
Come dessert abbiamo gelato, panna cotta e il tiramisù
fatto in casa, molto buono.

● No, _____, va bene così.

■ D'accordo. Le porto subito il caffè.

● Sì, e il conto, _____.

■ Certo, signora.

**ATTIVITÀ
DI SCRITTURA 3**
go to page 37

c. *Look at the four expressions that you have just inserted and answer the following questions:*

1 Which one does the lady use to say thanks? _____

2 Which ones does she use to make a polite request? _____ _____

3 Which one does she use to get the waiter's attention in a polite manner? _____

> **Prego** means "you are welcome" and is used as a reply when someone says **Grazie** ("thank you").
> It can also be used to politely ask for something: **Il conto, prego!** In this case **prego** is a more formal synonym of **per favore**.

17 ESERCIZIO ORALE | Al bar

*Work with a partner. In turns one of you will play the customer (**Student** A) in a café and improvise a dialogue following the instructions, ordering something from the list below. The other will play the waiter (**Student** B). Then switch roles.*

> una macedonia • una spremuta d'arancia • un cappuccino • un limoncello
> una panna cotta • un tiramisù • un sorbetto al limone • un'aranciata
> una bottiglia d'acqua • un caffè • una Coca-Cola • un gelato

A: [*Calls the waiter*]
B: Sì, dica.
A: [*Orders several items from among those in the box above*]

B: Certo. Desidera qualcos'altro?
A: [*Answers no, asks for the check, and thanks the waiter*]
B: D'accordo.

> In Italian restaurants service is usually included in the bill. It is not compulsory to leave a tip (**mancia**), though customers usually do so to show that they have enjoyed their meal. In some regions restaurants may also have a cover charge (**coperto**).

18 ASCOLTO | Numeri da 20 a 100 • WB 17 / 18 / 19   13

a. *Fill in the missing numbers.*

20	venti	29	_____	60	sessanta
21	ventuno	30	trenta	68	_____
22	_____	31	trentuno	70	settanta
23	ventitré	32	trentadue	74	settantaquattro
24	_____	35	_____	80	ottanta
25	venticinque	40	quaranta	81	_____
26	_____	46	_____	90	novanta
27	_____	50	cinquanta	93	_____
28	ventotto	57	_____	100	cento

> Numbers drop their last vowel before adding **-uno** or **-otto**: **quarantuno**, **ottantotto**.
>
> When **tre** is the last digit of a larger number, it has an accent: **trentatré**, **novantatré**.

b. *Now listen and check.*

19 **ASCOLTO | Che numero è?**
Listen and mark the numbers that you hear.

14

23		67	
	33	77	91
81	50		24
15		42	5

20 **ESERCIZIO ORALE | Serie di numeri**
Read the numbers out loud. Which numbers follow in the sequences?

1 5   15   25   ____
2 10   20   30   ____
3 44   33   22   ____
4 100 90   80   ____
5 50   51   52   ____

21 **ESERCIZIO ORALE |** *Quanto costa?* • WB 20

a. *Work in pairs. Complete your list asking your partner the prices that you do not know. Remember to put in the indefinite articles.*

> The submultiples of the euro are eurocents (**centesimi**). In Italian the word **euro** has no plural ending: **un euro → due euro**

Esempio:
● Quanto costa **un** latte macchiato?
▼ **Un** latte macchiato costa 1 euro e 70.

a

Bar Il giardino
Listino prezzi

Caffè	euro _____
Cappuccino	euro 1,50
Tè	euro 2,10
Latte macchiato	euro 1,70
Coca-Cola	euro _____
Spremuta d'arancia	euro 3,00
Gelato	euro 3,10
Cornetto	euro _____
Aperitivo	euro _____
Panino	euro _____
Pizzetta	euro 2,40

b

Bar Il giardino
Listino prezzi

Caffè	euro 1,00
Cappuccino	euro _____
Tè	euro _____
Latte macchiato	euro 1,70
Coca-Cola	euro 2,20
Spremuta d'arancia	euro _____
Gelato	euro _____
Cornetto	euro 1,10
Aperitivo	euro 5,00
Panino	euro 3,30
Pizzetta	euro _____

b. *Now, in turn, give your orders and then ask for the check.*

22 LETTURA | *Che cos'è questo? Che cos'è quello?* • WB 21 / 22

a. *What does the waiter answer? Match the following sentences with the corresponding situations.*

a ◯ **Quello** è un **panino** mozzarella e pomodoro.

b ◯ **Questa** è una **pasta** al cioccolato.

c ◯ **Quella** è una **bruschetta**.

d ◯ **Questo** è un **cornetto** con la crema.

1 Che cos'è questo?

2 Che cos'è questo?

3 Che cos'è quello?

4 Che cos'è quello?

b. *Now, working with a partner, answer the following questions:*

1 What word is used to indicate an object near you?

2 What word is used to indicate an object far away from you?

23 ESERCIZIO ORALE | *Che cos'è questo? Che cos'è quello?*

Pick four objects in class that you know how to say in Italian (for example: book, window, door…): two objects should be nearby and two farther away. Based on each object's distance, ask your classmate, "Che cos'è questo / quello?". Take turns asking questions.

Esempio:
● Che cos'è questo?
▼ Questo è un telefono.

SOSTANTIVI – NOUNS

Genere – Gender

*Nouns are words used to identify any of a class of people (e.g.: **teacher**), animals (**cat**), places (**school**), things (**table**), qualities (**beauty**), feelings (**happiness**), etc. (these are common nouns), or to name a particular one of these, e.g.: **Tom** or **Rome** (these are proper nouns).*

In Italian all nouns have a gender. In Italian there is no neuter gender, there are only two genders: masculine and feminine.

maschile		femminile	
singolare	plurale	singolare	plurale
tavol**o** pont**e**	tavol**i** pont**i**	fragol**a** nott**e**	fragol**e** nott**i**

ARTICOLI – ARTICLES

*Articles are words which combine with a noun, such as English **the** and **a / an**.*
*In Italian, like in English, there are indefinite articles (in English: **a / an**) and definite articles (in English: **the**). Indefinite articles refer to non-specific nouns. For instance, if you say, "I need a coat" or "I want to watch a movie" you are not referring to a specific coat or movie. On the other hand, the definite article refers to a specific noun. If you were to say, "How much is the red coat?" you would be talking about one specific coat.*

In Italian, articles agree in gender and number with the nouns to which they refer. Their form also changes depending on the initial letter of the noun.

ARTICOLI DETERMINATIVI – DEFINITE ARTICLES

	maschile		femminile	
	singolare	plurale	singolare	plurale
before a consonant	**il** gelato	**i** gelati	**la** camera	**le** camere
before a vowel	**l'**amico	**gli** amici	**l'**amica	**le** amiche
before s + consonant *before z* *before y*	**lo** straniero **lo** zaino **lo** yogurt	**gli** stranieri **gli** zaini **gli** yogurt		

<u>Note</u>: *the definite article in front of a feminine plural noun never takes an apostrophe.*

Le arance ✔
L'arance ✘

ARTICOLI INDETERMINATIVI – INDEFINITE ARTICLES

	maschile	femminile
before a consonant	**un** gelato	**una** camera
before a vowel	**un** amico	**un'**amica
before s + consonant *before z* *before y*	**uno** straniero **uno** zaino **uno** yogurt	

<u>Note</u>: *we put an apostrophe before a noun beginning with a vowel only if the noun is feminine. If the noun is masculine, there is no apostrophe.*

PRONOMI DIMOSTRATIVI – DEMONSTRATIVES: *QUESTO* AND *QUELLO*

A pronoun is a word that is used instead of a proper noun or a common noun. Pronouns can replace either a noun that has already been mentioned or a noun that does not need to be named specifically. There are different kinds of pronouns. Demonstrative pronouns point towards the noun they replace, indicating it in time, space and distance.
This *and* ***that*** *are demonstrative pronouns in English.*

Questo/a refers to people / objects that are close to the speaker.
Quello/a refers to people / objects that are far away from the speaker.
They both agree in gender and number with the person / object to whom / which they refer.

Questo è Federico.
Quella è la mia insegnante di italiano.
Che cos'è **quello**?
Che cos'è **questa**?

ATTIVITÀ DI SCRITTURA • WRITING ACTIVITIES

1 Al bar
Write a café dialogue between a customer and a waiter (eight lines minimum).

2 Un messaggio per...
Imagine what might be in your fridge and write your own message to a friend. Also, indicate a possible place to eat near your home and describe the menu selections.

3 Al ristorante
Using the menu on page 28, write a dialogue between a customer and a waiter. The customer should order at least two food items and one beverage. Remember to use polite expressions, such as:
per favore, grazie, scusi, prego*, etc.*

BEVERAGES

birra (f.)	beer
acqua (f.)	water
caffè (m.)	coffee
spremuta (f.)	fresh orange juice
vino bianco (m.)	white wine
vino rosso (m.)	red wine
latte (m.)	milk
latte macchiato (m.)	latte

FOOD

formaggio (m.)	cheese
pomodoro (m.)	tomato
gelato (m.)	ice cream
cornetto (m.)	croissant
fragola (f.)	strawberry
patatine fritte (f.)	French fries, chips
torta (f.)	cake, pie
marmellata (f.)	jam
crema (f.)	custard
limone (m.)	lemon
carne (f.)	meat
pesce (m.)	fish
arancia (f.)	orange
peperone (m.)	sweet pepper
pollo (m.)	chicken
cioccolato (m.)	chocolate
panino (m.)	sandwich

MENU

antipasto (m.)	starter, appetizer
primo (piatto) (m.)	first course
secondo (piatto) (m.)	second course
contorno (m.)	side dish
dolce (m.)	dessert

MEALS

colazione (f.)	breakfast
pranzo (m.)	lunch
spuntino (m.)	snack
cena (f.)	dinner

USEFUL SENTENCES AND EXPRESSIONS

Per favore	Please
Per cortesia	Please
Grazie	Thank you
Scusi!	Excuse me! (*formal*)
Scusa!	Excuse me! (*informal*)
Io prendo…	I'll have…
Anch'io vorrei….	I would like to have… too
(Lei) Che cosa prende?	What will you have? (*formal*)
(Tu) Che cosa prendi?	What will you have? (*informal*)
No, grazie, va bene così.	No, thank you. I'll be just fine.
Il conto, per favore.	The bill, please.
Quanto costa…?	How much is…?
Che cos'è questo / quello?	What is this / that?
Quello / Quello è…	This / That is...

PRICES

0.50 €	→	cinquanta centesimi
1 €	→	un euro
2 €	→	due euro
2.50 €	→	due euro e cinquanta (centesimi)

NUMBERS FROM 20 TO 100

20	**venti**		29	**ventinove**
21	**ventuno**		30	**trenta**
22	**ventidue**		40	**quaranta**
23	**ventitré**		50	**cinquanta**
24	**ventiquattro**		60	**sessanta**
25	**venticinque**		70	**settanta**
26	**ventisei**		80	**ottanta**
27	**ventisette**		90	**novanta**
28	**ventotto**		100	**cento**

Numbers drop their last vowel before adding **-uno** *or* **-otto**: **quarantotto, ottantotto.** *When* **tre** *is the last digit of a larger number, it has an accent:* **trentatré, novantatré.**

GELATO, CHE PASSIONE!

1 *Match the following ice cream flavors with the photographs below, as in the examples.*

caffè   crema   cioccolato   limone   ✔ nocciola

pistacchio   fragola   ✔ stracciatella

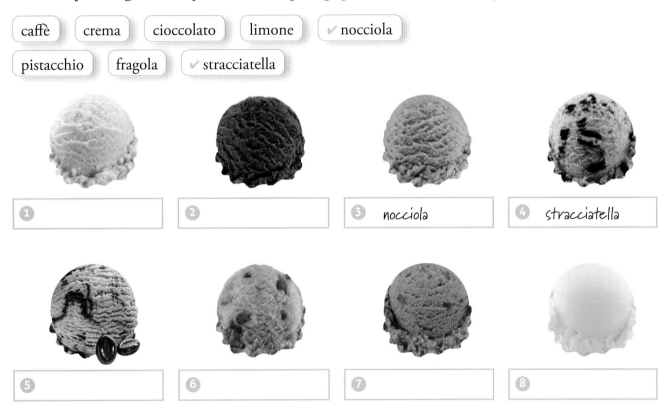

① [ ]   ② [ ]   ③ nocciola   ④ stracciatella

⑤ [ ]   ⑥ [ ]   ⑦ [ ]   ⑧ [ ]

2 *Which ice cream flavors do you think Italians are particularly fond of?*
Make a ranking list of the previous flavors, then check your answers reading the following text.

> Gli italiani amano il gelato e le gelaterie presentano sempre gusti diversi e nuovi.
> Questi sono i gusti preferiti degli italiani:
>
> • il cioccolato con il 27% delle preferenze
> • la nocciola (20%)
> • il limone (13%)
> • la fragola (12%)
> Seguono crema (10%), stracciatella (9%) e pistacchio (8%).
>
> Secondo una statistica, il 73% degli italiani, quando compra un gelato, prende almeno un gusto di crema.

adattato da magazine.misya.info

3 *Do you like ice cream? If so, what is your favorite flavor?*

Episodio 2: UN PRANZO VELOCE

1 *The title of this episode means "A fast lunch". Write four Italian words that are related to lunch time, then watch the video and check if you can find any of them in the conversation.*

2 *What does Matteo refer to when he says* **un primo**? *Choose the correct answer.*

Mah, io prendo un primo.

3 *What do Federico and Matteo order? Check the box with the correct answers.*

da mangiare
1. ◯ spaghetti ai frutti di mare
2. ◯ spaghetti al pomodoro
3. ◯ pizza quattro stagioni
4. ◯ pizza Margherita
5. ◯ cotoletta alla milanese
6. ◯ pollo allo spiedo

da bere
1. ◯ acqua naturale
2. ◯ acqua gassata
3. ◯ birra in bottiglia
4. ◯ birra piccola

4 ***Allora*** *and* ***dai*** *are two commonly used expressions. Insert them in the appropriate sentences, then watch the episode again and check your answers.*

> **Allora** is a high frequency word: it can be used when one needs time to think over before starting to talk, or wants to sum up what has been said so far.

1 Sì, _____!

Ok.

2 _____…
L'antipasto no.
O un primo, o un secondo.
Vediamo…

3 Bene,
_____
le pizze sono due.

4 _____ due birre.
In bottiglia, eh!
E anche un litro d'acqua.

IO E GLI ALTRI

In this unit you will learn how to:
- introduce someone
- describe people's activities on a specific day of the week
- ask for someone's age and occupation
- tell dates
- ask how someone is doing

listen to
the recordings
of unit 3

Do you have any Italian friends?

Where did you meet them?

3 IO E GLI ALTRI

1 ASCOLTO | Presentare qualcuno · WB 1 / 2   15 🔊

a. *Close the book, listen to the recording, then work with a partner and share information on the conversation.*

b. *Now listen to the recording and complete the conversation with the expressions in the list.*

benissimo | parlo | sei di Madrid | come stai | parli | piacere | anch'io, grazie

- ● Ehi, ciao, Guido. _____?
- ■ _____. E tu?
- ● _____.
  Ah, lei è Eva, una mia amica spagnola.
  Eva, lui è Guido, un mio amico.
- ▼ Ciao!
- ■ _____!
- ● Eva parla l'italiano molto bene.
- ■ Ah, complimenti!
  Eva, _____?
- ▼ No, sono di Siviglia.
- ■ Ah, Siviglia… È una bella città?
- ▼ Sì, molto bella e anche antica. E tu Guido,
  _____ lo spagnolo?
- ■ No, mi dispiace, _____ solo l'italiano!

> **How to introduce someone**
> **Lei / Lui è…**

2 RIFLETTIAMO | Presente indicativo: terza persona singolare · WB 3

a. *Find in the previous conversation the coniugated forms of the following verbs and complete the table, as in the example.*

b. *Work with a partner. Complete the table with the missing form.*

	parlare	essere
io		
tu		sei
lui / lei		

3 ESERCIZIO ORALE | *Chi è?*

Take turns introducing the people in the photographs, as in the example.

Esempio:
- ■ Lei è Eva, una mia amica spagnola di Siviglia.
- ▼ Piacere.
- ■ Eva parla bene l'italiano.

Eva · Siviglia
parlare
bene l'italiano

Sonia · Mosca
lavorare
a Roma

Peter · Berlino
amare
lo sport

Annie · Parigi
studiare
economia

Jack · Londra
essere
architetto

4 GIOCHIAMO | *Parla inglese?*

Work with a partner. Choose one of the people shown below without telling your partner whom you have chosen. Your partner has three chances to find out what language the person speaks, and then must guess which person it is.

Esempio:
▼ Parla l'italiano?
■ No.
▼ Parla il russo?
■ Sì.
▼ Parla il francese?
■ No.
▼ È Aja?
■ No, è Dimitri.

lingue del mondo		
l'arabo	il greco	il serbo
il cinese	l'inglese	lo spagnolo
il coreano	l'italiano	lo svedese
il croato	il norvegese	il tedesco
il danese	l'olandese	l'ungherese
l'ebraico	il polacco	_____
il francese	il portoghese	_____
il giapponese	il russo	_____

Mi chiamo Aja, sono di Tel Aviv, parlo l'ebraico, l'inglese e il russo.

Mi chiamo Dimitri, sono di Mosca, parlo il russo, l'arabo e il cinese.

Mi chiamo Junko, sono di Tokyo, parlo il giapponese, il cinese e l'inglese.

Mi chiamo Luc, sono di Parigi, parlo il francese, l'arabo e il russo.

Mi chiamo Shui, sono di Hong Kong, parlo il cinese, l'italiano e il giapponese.

Mi chiamo Anna, sono di Milano, parlo l'italiano, il francese e l'arabo.

5 LETTURA | *Che lavoro fa?*

a. *Match the photographs with the descriptions below.*

1○ **2**○ **3**○ **4**○

a Bianca Parigini ha 31 anni e è un'architetta, lavora in uno studio importante di Venezia. Il lunedì e il mercoledì organizza tour guidati per studenti di arte di varie università. Conosce molto bene la sua città e il fine settimana ama visitare altre città italiane con gli amici.

b Sara è una dottoressa e lavora in un ospedale pubblico di Roma. Il martedì e il mercoledì va a Napoli, dove insegna all'università, e torna a Roma il giovedì mattina. Per andare a Napoli prende il treno, perché non ha la macchina. È sposata e ha due figli.

c Maurizio Iotti ha 40 anni, è avvocato e vive a Palermo. Viaggia molto per lavoro. Quando è a Palermo il venerdì pratica vari sport, come il tennis e il calcio. La domenica normalmente parte la mattina presto con la famiglia e passa la giornata in campagna.

d Dario Valentini fa il parrucchiere in un centro di Torino. Il mercoledì segue un corso di massaggio shiatsu. Sogna di aprire un centro shiatsu a Teramo, la sua città d'origine. È appassionato di film francesi e il venerdì segue anche un corso di storia del cinema.

b. *Read the descriptions again and then complete the following sentences.*

Il lunedì Bianca _____

Il martedì Sara _____

Il mercoledì Dario _____

Il giovedì Sara _____

Il venerdì Dario _____

_____ il fine settimana _____

Il sabato Bianca _____

La domenica Maurizio _____

> Words which have a graphic accent on the last syllable (**università**, **città**, etc.), words which end with a consonant (**film**, **sport**, etc.) as well as any other foreign word remain unchanged in the plural form:
>
> *Maurizio pratica due* **sport**.
>
> *Il sabato Bianca visita altre* **città** *italiane.*

6 RIFLETTIAMO | Presente indicativo: terza persona singolare • WB 4 / 5 / 6 / 7

a. *In the texts of activity* **5** *find the verbs shown in the table and write the conjugated forms next to the corresponding infinitive (**infinito**).*

-are		-ere		-ire	
lavor**are**	_____	conosc**ere**	_____	part**ire**	_____
viaggi**are**	_____	prend**ere**	_____	segu**ire**	_____

b. *Work with a partner. Complete the first table on regular verbs, then read the texts of activity* **5** *again, find the third singular person of irregular verbs* **avere**, **essere**, **fare**, **andare** *and complete the second table.*

verbi regolari			
	-are	-ere	-ire
io	-o	-o	-o
tu	-i	-i	-i
lei / lui			

verbi irregolari			
avere	essere	fare	andare
ho	sono	faccio	vado
hai	sei	fai	vai

c. *Read the texts on Bianca and Maurizio again, focus on how a person's age i described and answer the question:*

Which verb is used to say how old someone is?

Ask someone's age

■ Quanti anni ha Bianca?

▼ Bianca ha 31 anni.

■ Quanti anni _____?

▼ Ho 21 anni.

7 ESERCIZIO SCRITTO E ORALE | *Cosa fa...?* • WB 8 / 9 / 10

Work with a partner: one is **Student** A, *the other* **Student** B.
*Read your own instructions (**Student** B sees next page).*

Student A
Ask **Student** B information on what Giulia does during the weekend and then complete her agenda, as in the example. Then answer **Student** B's questions on Carlo's weekend.

Esempio:
A: Cosa fa Giulia il venerdì sera?
B: Incontra gli amici e poi mangia al ristorante con loro.

Carlo – studente, abita a Firenze		Giulia – professoressa, abita a Roma	
venerdì sera	*Giocare* a tennis e poi *lavorare* in un pub	venerdì sera	Incontra gli amici e poi mangia al ristorante con loro.
sabato	*Fare* sport e la sera *andare* al cinema	sabato	
domenica	*Seguire* un corso di cinema e poi *vedere* gli amici	domenica	

Student B
Ask **Student A** information on what Carlo does during the weekend and then complete his agenda, as in the example. Then answer **Student A**'s questions on Giulia's weekend.

Esempio:
B: Cosa fa Carlo il venerdì sera?
A: Gioca a tennis e poi lavora in un pub.

Giulia – professoressa, abita a Roma		Carlo – studente, abita a Firenze	
venerdì sera	*Incontrare* gli amici e poi *mangiare* una pizza con loro	venerdì sera	*Gioca a tennis e poi lavora in un pub.*
sabato	*Seguire* un corso di fotografia e la sera *andare* al teatro	sabato	
domenica	*Fare* un brunch e poi *preparare* le lezioni	domenica	

8 RIFLETTIAMO | Preposizioni • WB 11

Complete the table with the words in the list.

città   Paese, regione e città   Paese, regione

	esempio	regola
è va torna arriva	in Italia in Sicilia	**in** + _____
	a Firenze a Roma	**a** + _____
parte	per Bologna per l'Italia per la Sicilia	**per** + (articolo) _____

9 ASCOLTO | *Faccio la segretaria*

16 (◀▶

a. *Close the book, listen to the recording, then work with a partner and share information on the conversation.*

b. *Listen to the conversation again and complete the transcript by putting the listed sentences in the correct order.*

- ● Siete di qui?
- ◆ No, siamo di Napoli, ma abitiamo qui a Bologna.
- ● Ah, di Napoli! E che cosa fate di bello? Studiate?
- ▼ _____
- ● _____
- ▼ _____
- ● _____
- ◆ _____
- ● _____

In uno studio fotografico.

E tu, che lavoro fai?

No, faccio la segretaria.

Io sono impiegata in un'agenzia pubblicitaria. E tu, dove lavori?

No, io lavoro in una scuola di lingue.

Sei insegnante?

10 ESERCIZIO ORALE | Articoli determinativi e sostantivi

Work with a partner. Improvise a short conversation as in the example.

> Esempio:
> Anna / segretaria • Mario / fotografo
> ■ Anna, che lavoro fai?
> ▼ Faccio **la segretaria**. E tu, Mario?
> ■ Io sono fotografo.

> ■ Che lavoro fai ?
> ▼ **Faccio la** segretaria. / **Sono (una)** segretaria.
> → **fare** + definite article + profession
> → **essere** + (indefinite article) + profession

Paolo / insegnante • Rosa / impiegata
Sara / farmacista • Marco / attore
Filippo / giornalista • Laura / cantante
Chiara / scrittrice • Pietro / ingegnere
Sergio / dottore • Sonia / professoressa
Teresa / operaia • Dario / dentista
Claudio / commesso • Rita / traduttrice

Io sono un traduttore.
Io sono ingegnere.

Io faccio la dentista.

11 RIFLETTIAMO | Sostantivi • WB 12

Complete the table with the professions from activity **10**.

femminile	maschile
commessa	
	impiegato
	operaio
	cantante
insegnante	
	professore
dottoressa	

femminile	maschile
attrice	
	scrittore
	traduttore
dentista	
	farmacista
giornalista	

ATTIVITÀ
DI SCRITTURA 1
go to page 53

12 LESSICO | Posti di lavoro • WB 13

Working in small groups match the workplaces with the corresponding pictures. The group which finishes first wins.

a  **b**   **c**  **d**

e   **f**   **g**  **h**

1 ◯ un negozio
2 ◯ un ufficio postale
3 ◯ un ristorante
4 ◯ un'officina
5 ◯ una banca
6 ◯ un ufficio
7 ◯ una fabbrica
8 ◯ una farmacia

13 ESERCIZIO ORALE | *Chi sono?*

Work with a partner. Take turns introducing people shown in the photographs, making sentences as in the example.

Esempio:

Francesco · 25 · Firenze · operaio

Lui è Francesco, ha 25 anni, è di Firenze, fa l'operaio, lavora in una fabbrica.

Antonio · 51
Napoli · farmacista

Mariangela · 35
Roma · insegnante

Alberta · 42
Milano · infermiera

Luisa · 21
Venezia · commessa

14 PARLIAMO | Presentazioni

Work with a partner. Make up names, nationalities, ages, professions and any other relevant information on people shown in the pictures. Then work with a different classmate and give him / her information on the same people, as in the example.

Esempio:

Lui è il mio amico Samuel. È francese, di Marsiglia, ma abita a Parigi. Ha 32 anni. Insegna matematica all'università. Parla francese, inglese e un po' di spagnolo. Ama viaggiare e conoscere persone nuove.

15 ASCOLTO | I numeri da 100 in poi
17 ((•

Listen to the recording and number the images, as in the example.

 a ○

b ①

ATTIVITÀ
DI SCRITTURA 2
go to page 53

c ○

d ○

e ○
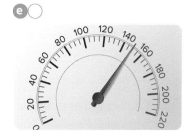

f ○

g ○

h ○

16 ESERCIZIO SCRITTO | I numeri da 100 in poi • WB 14
Match each word with the correct number.

un milione • centocinquanta • cinquecento • duemilaventidue • milletrecento
novecentoquarantacinque • mille • centomila • duecentosettanta

150 _____	945 _____	2022 _____
270 _____	1000 _____	100.000 _____
500 _____	1300 _____	1.000.000 _____

17 ASCOLTO | *Come si chiama?*
18 ((•

Listen to the recording and check if the sentences are true or false.

        true   false

❶ Michela è in una farmacia. ○ ○
❷ Michela è di Torino. ○ ○
❸ Michela è un'architetta. ○ ○
❹ Michela segue un corso di cinema. ○ ○
❺ Il corso di fotografia è il mercoledì. ○ ○

18 RIFLETTIAMO | Conversazioni formali e informali • WB 15 / 16 18 ((▶

a. *Listen to the recording again and <u>underline</u> the appropriate expression.*

- ■ Buongiorno.
- ● Buongiorno.
- ■ Sono qui per il corso di fotografia.
- ● Sì… Allora*…
  Prendo i dati per l'iscrizione. Ecco.
  Come **si chiama / ti chiami**?
- ■ Michela Lancetti.
- ● Michela Lancetti…
  Di dove sei / Di dov'è, signora Lancetti?

- ■ Sono di Torino, ma vivo qui a Bologna.
- ● Torino… Bene… Signora Lancetti,
  Lei è / Tu sei una studentessa oppure
  lavori / lavora?
- ■ Lavoro. Sono un'architetta.
- ● Allora*… Il corso comincia questo
  martedì, la mattina.
- ■ Benissimo… Grazie e a martedì.
- ● Grazie a **te / Lei**. Arrivederci.

** Do you remember how to use the word **allora**? If not, check activity 4 on page 40.*

b. *In this dialogue, Michela and the man are speaking in a **formal** manner. When you speak to someone in a formal manner you do not use the second person singular. Which person do you use?*

> The **"she"** form (Lei) is used to formally address unknown adults and elderly people, regardless of their gender (it is thus used with men, too).
> It is not commonly used with (elderly) relatives. When talking to each other, young people generally use the **tu** form even in formal contexts.

19 ESERCIZIO SCRITTO | Trasformazione • WB 17

Work with a partner. Rewrite the conversation of activity 9, changing the conversation from informal to formal.

- ▼ Io lavoro in una scuola di lingue.
- ● Sei insegnante?
- ▼ No, faccio la segretaria.
- ● E tu che lavoro fai?
- ◆ Io sono impiegata in un'agenzia pubblicitaria. E tu dove lavori?
- ● In uno studio fotografico.

- ▼ _____
- ● _____
- ▼ _____
- ● _____
- ◆ _____
  _____
- ● _____

20 LETTURA | *Come va?* • WB 18

a. *Which of these situations are formal (F) and which are informal (I)?*

① F I

② F I

③ F I

④ F I

b. *What do you say when you ask someone how they are?*

formale	
informale	

> The verb **stare** is used to express how one is feeling, both physically and psychologically.

stare	
io	sto
tu	stai
lui / lei / Lei	sta

c. *Write the answers from point **a** in the correct order, from the most positive to the most negative.*

☺ _____   😐 _____

☺ _____   ☹ _____

21 ESERCIZIO ORALE | *Come stai?*

Go round the classroom and ask your classmates how they are. Ask both formally and informally, alternating the two forms.

22 PARLIAMO | *Piacere!*

Work with a partner. Improvise a conversation in which an adult person introduces him / herself to his / her new neighbor. The two people do not know each other so the conversation must be formal.

ATTIVITÀ DI SCRITTURA 3 go to page 53

PRESENTE INDICATIVO (SINGOLARE) – PRESENT TENSE (SINGULAR)

	verbi regolari		
	parlare	**vedere**	**partire**
io	parl**o**	ved**o**	part**o**
tu	parl**i**	ved**i**	part**i**
lui / lei / Lei	parl**a**	ved**e**	part**e**

	verbi irregolari				
	andare	**avere**	**essere**	**fare**	**stare**
io	vado	ho	sono	faccio	sto
tu	vai	hai	sei	fai	stai
lui / lei / Lei	va	ha	è	fa	sta

NOMI, PARTICOLARITÀ – NOUNS, SPECIAL CASES

Forme plurali – Plural forms
All nouns that have an accent on the last vowel or end with a consonant do not change in the plural form.

	maschile	femminile
singolare	caffè, film	città
plurale	caffè, film	città

Professioni – Professions
*Some professions that end in -e in the masculine form end in -essa in the feminine form (**un professore / una professoressa**). In other instances, both masculine and feminine forms end in -e (**un insegnante / un'insegnante**).*
*Nouns which end in -tore in the masculine end in -trice in the feminine (**un attore / un'attrice**). In some cases, masculine and feminine forms are identical, as with all nouns ending in -ista (**un farmacista / una farmacista**). For a long time, some professions, such as **architetto** or **avvocato**, only had a masculine form, since almost all architects and lawyers were men. Now the feminine form is provided for almost all professions: **un architetto / un'architetta, un avvocato / un'avvocata, un ministro / una ministra**, even if it is still possible to use the masculine: "Laura è un architetto / un'architetta".*

maschile	femminile
uno studente	una studentessa
un insegnante	un'insegnante
un attore	un'attrice
un farmacista	una farmacista
un architetto	un architetto / un'architetta
un avvocato	un avvocato / un'avvocata
un ministro	un ministro / una ministra

PREPOSIZIONI E DESTINAZIONE – PREPOSITIONS AND DESTINATION: *A, IN, PER*

*To show where we are – or where we are headed – we use the prepositions **a** or **in** according to the type of place.*
a → cities
in → countries and regions
*When country names contain a plural word (such as **Stati Uniti, Filippine**, etc.) the preposition **negli** for masculine and **nelle** for feminine are required.*

Vado **a** Napoli. / Torno **a** Napoli.
Vado **in** Germania. / Torno **in** Sicilia.
Va **negli** Stati Uniti.
Torna **nelle** Filippine.

*per → is used with the verb **partire** (in this case country names are preceded by an article).*

Domani parto **per il** Texas.
Parto **per** New York.

DARE DEL *LEI* – ADDRESSING SOMEONE FORMALLY

In Italy, in formal situations – or with people who do not know each other that well – the **Lei** *form is used.*
It is a politer and more respectful way to address others.
These are the changes that need to be made when using the formal address or register:
- *the pronoun* **tu** *is substituted by the pronoun* **Lei** *(with the first letter capitalized):* "Scusi, Lei è il signor Bianchi?",
- *all verbs are conjugated in third person singular:* "Come sta?".

informale	formale
tu	Lei
Come **stai**?	Come **sta**?
Dove **abiti**?	Dove **abita**?
Come **ti chiami**?	Come **si chiama**?

PRONUNCIA DI AFFERMAZIONI E DOMANDE – PRONUNCIATION OF STATEMENTS AND QUESTIONS

In Italian, statements and questions are often identical in structure, and the only way to tell them apart is by punctuation and, in spoken language, by intonation (the voice rises at the end of a question).

inglese	italiano
You have a pen.	Hai una penna.
Do you have a pen?	Hai una penna?

19 ◀))

ATTIVITÀ DI SCRITTURA · WRITING ACTIVITIES

1 Lei è Junko

a. *Complete Junko's profile (use your imagination).*

nome	Junko
età	
città	
professione	
nel fine settimana	

b. *Now use this information to write a short paragraph.*

> Lei è Junko...

2 Migliori amici

Introduce your friend. What is your friend's name, where is he / she from, what is his / her occupation (studying or working)? Talk about everything your friend loves to do.

3 Piacere!

Write a conversation between two new work colleagues. The two colleagues do not know each other and introduce themselves. Use the formal register.

VERBS

-are

amare	to love
cominciare	to start, to begin
giocare	to play
incontrare	to meet
insegnare	to teach
lavorare	to work
mangiare	to eat
organizzare	to organize, to plan
parlare	to speak
passare	to spend
praticare (uno sport)	to play (a sport)
preparare	to prepare
sognare	to dream
studiare	to study
viaggiare	to travel
visitare	to visit

-ere

conoscere	to know
prendere	to take
vivere	to live

-ire

aprire	to open
partire	to leave
seguire (un corso)	to take (a course)

irregular verbs

avere	to have
andare	to go
essere	to be
fare	to do, to make
stare (bene, male...)	to feel (good, bad...)

DAYS OF THE WEEK

lunedì (m.)	Monday
martedì (m.)	Tuesday
mercoledì (m.)	Wednesday
giovedì (m.)	Thursday
venerdì (m.)	Friday
sabato (m.)	Saturday
domenica (f.)	Sunday
fine settimana (m.)	weekend

PROFESSIONS

architetto/a (m./f.)	architect
avvocato/a (m./f.)	lawyer
parrucchiere (m./f.)	hairdresser
impiegato/a (m./f.)	clerk, employee
segretario/a (m./f.)	secretary
fotografo/a (m./f.)	photographer
insegnante (m./f.)	teacher
farmacista (m./f.)	pharmacist
attore / attrice (m./f.)	actor / actress
giornalista (m./f.)	journalist
cantante (m./f.)	singer
scrittore / scrittrice (m./f.)	writer
ingegnere / ingegnera (m./f.)	engineer
dottore / dottoressa (m./f.)	doctor
professore / professoressa (m./f.)	professor
operaio/a (m./f.)	(factory) worker
dentista (m./f.)	dentist
commesso/a (m./f.)	shop assistant
traduttore / traduttrice (m./f.)	translator

WORKPLACES

ospedale (m.)	hospital
studio (fotografico, di architettura...) (m.)	(photographic, architectural...) firm
ufficio postale (m.)	post office
officina (f.)	auto repair shop
agenzia pubblicitaria (f.)	advertising agency
negozio (m.)	shop
banca (f.)	bank
ufficio (m.)	office
fabbrica (f.)	factory
farmacia (f.)	pharmacy
università (f.)	university
scuola (f.)	school

NUMBERS FROM 100 ONWARDS

101	centouno	2000	duemila
126	centoventisei	3400	tremilaquattrocento
200	duecento	100.000	centomila
390	trecentonovanta	1.000.000	un milione
1000	mille	1.000.000.000	un miliardo
1400	millequattrocento		

USEFUL SENTENCES AND EXPRESSIONS

Lui è Paul, un mio amico.	He is Paul, a friend of mine.
Lei è Angela, una mia amica.	She is Angela, a friend of mine.
Sono sposato/a.	I am married.
Complimenti!	Congratulation!
Ho due figli.	I have two children.
Faccio la / Sono segretaria.	I am a secretary.
Quanti anni hai / ha?	How old are you? (*informal / formal*)
Ho 22 anni.	I am 22 years old.
Mi dispiace.	I am sorry.
Come stai / sta?	How are you? (*informal / formal*)
Come va?	How are you? (*informal and formal*)

Benissimo. ☺ Bene. ☺ Non c'è male. 😐 Male. ☹

DONNE E LAVORO IN ITALIA

1 *Look at these graphs on women's employment in Europe and Italy. Are there any facts or figures that you find really compelling?*

In Europa (18-64 anni)

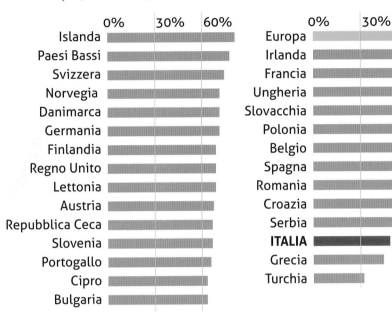

Fonte: Istat

In Italia (18-64 anni)

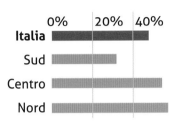

I settori che pagano di più

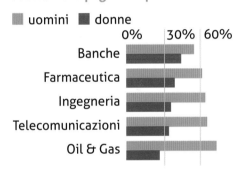

2 *Now look at this table. Do you think that in your country these percentages would be different?*

Studenti per università

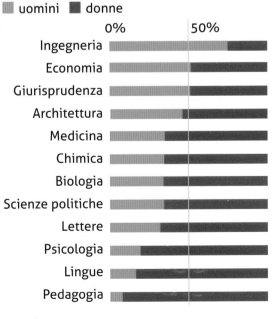

Fonte: Istat

3 | IO E GLI ALTRI | videocorso
watch the video

Episodio 3: L'ANNUNCIO

1 *Work with a classmate. Look at the frames and try to guess how the story goes. Then watch the episode and see if there are any differences and similarities between the video and your own version!*

2 *Are the following sentences true or false? Watch the episode again and check your answers.*

	true	false
❶ Federico è un ragazzo francese.	○	○
❷ Federico telefona a Sebastian.	○	○
❸ Federico parla l'inglese molto bene.	○	○
❹ Laura è un'amica di Federico.	○	○
❺ Laura cerca una camera.	○	○

3 *Watch the episode from 1'52" to 02'22" and then work with a partner: guess what Karen might be saying to Federico.*

- ■ Pronto? Sì, ciao, mi chiamo Federico. Telefono per l'annuncio...
- ▼ _____
- ■ Sì, abito in centro, sì.
- ▼ _____
- ■ Sì, sono italiano.
- ▼ _____
- ■ Ho 28 anni.
- ▼ _____
- ■ Studio e lavoro, sì. Sono...
- ▼ _____
- ■ Come? Be', sì, parlo inglese. Un po'…

4 *Work with the same partner. Watch the same scene again: one of you will play Federico, the other one Karen. Work on pronunciation and get ready to read the scene out loud with the right intonation.*

TEMPO LIBERO

In this unit you will learn how to:
- talk about free time and leisure activities
- talk about how often one does something
- talk about people's interests and occupations
- express one's likes and dislikes

listen to
the recordings
of unit 4

What do you think Italians do in their free time? What are their favorite activities? With a classmate, write a list of what you think are the three activities Italians love the most.

Next, check the bottom of the page to see if you guessed correctly.

In their free time, Italians play sports (29.1%), watch TV (28.8%), read (27.6%), browse the internet or use social media (24.7%), spend time with friends (24.7%), and engage in hands-on activities or creative or creative projects (17.9%).

TEMPO LIBERO

1 LESSICO | Il tempo libero

Write next to the pictures the number which corresponds to the activities below.

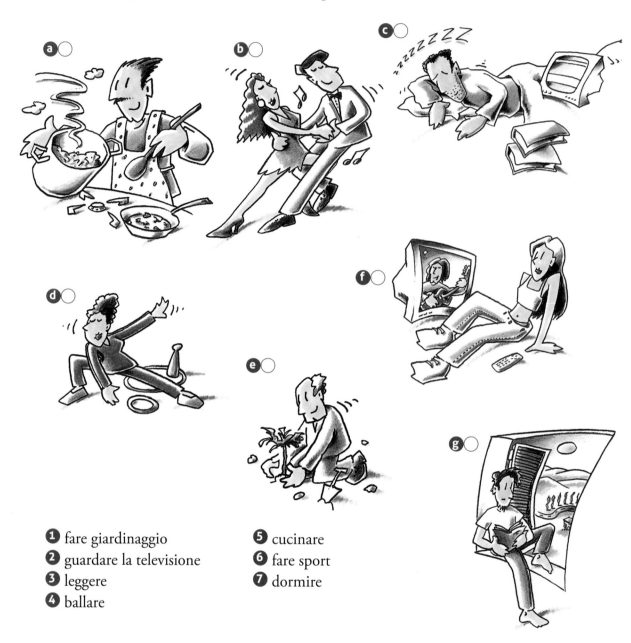

❶ fare giardinaggio
❷ guardare la televisione
❸ leggere
❹ ballare

❺ cucinare
❻ fare sport
❼ dormire

2 ASCOLTO | Che cosa fai nel tempo libero?

20 ((►

a. *Close the book, listen to the recording, then work with a partner and share information on the conversation.*

b. *Listen again and select the activities mentioned in the conversation.*

ⓐ○ ballare
ⓑ○ fare sport
ⓒ○ fare giardinaggio
ⓓ○ dormire

ⓔ○ cucinare
ⓕ○ leggere
ⓖ○ guardare la televisione

3 **TRASCRIZIONE | Verbi irregolari** · WB 1 / 2   20 ((▶

Listen to the recording again and complete the transcription with the words in the list, writing them in the correct order. Then compare your version with that of a classmate.

(libero) (fai) (che) (tempo) (cosa) (nel)

▼ _____ ?

(vado) (in palestra) (faccio) (di solito) (sport:) (io)

■ _____ . E tu?

(leggo) (a lungo,) (la TV) (dormo) (o) (guardo)

▼ Io invece sto quasi sempre a casa: _____ .

4 **ESERCIZIO ORALE | Presente indicativo, verbi regolari e irregolari** · WB 3 / 4

Work with a partner. Take turns asking each other for information on the activities of one of these people and then of your partner, as in the example.

Esempio:
Marta • giocare a carte
■ Che cosa fa Marta nel tempo libero?
▼ Gioca a carte. E tu che cosa fai?
■ Io faccio una passeggiata.

Sara • giocare a tennis

Daniele • fare una passeggiata

Michele • andare al cinema

Gloria • scrivere un'e-mail

Marta • giocare a carte

Giulia • fare la spesa

Paolo • ascoltare musica

Pietro • andare in bicicletta

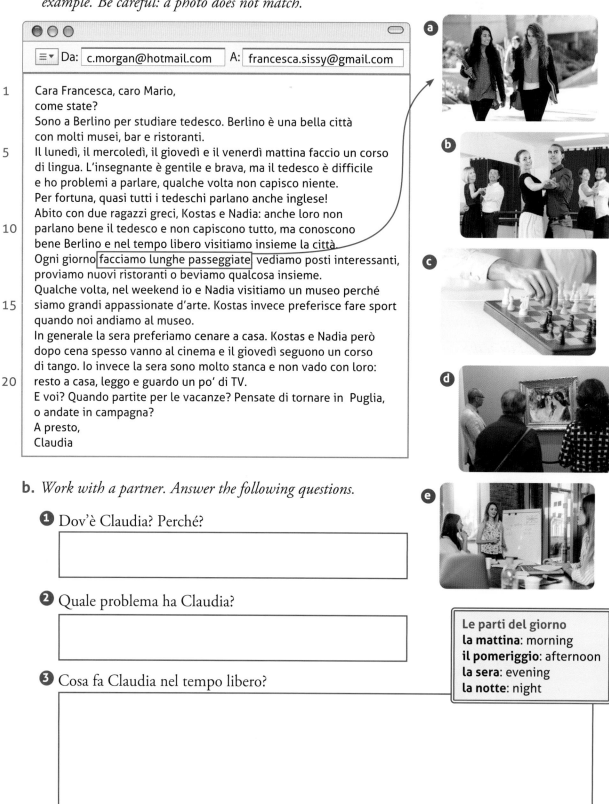

5 LETTURA | Un e-mail da Berlino

a. *Read the e-mail and match the photographs with corresponding words in the text, as in the example. Be careful: a photo does not match.*

Da: c.morgan@hotmail.com   A: francesca.sissy@gmail.com

1   Cara Francesca, caro Mario,
    come state?
    Sono a Berlino per studiare tedesco. Berlino è una bella città
    con molti musei, bar e ristoranti.
5   Il lunedì, il mercoledì, il giovedì e il venerdì mattina faccio un corso
    di lingua. L'insegnante è gentile e brava, ma il tedesco è difficile
    e ho problemi a parlare, qualche volta non capisco niente.
    Per fortuna, quasi tutti i tedeschi parlano anche inglese!
    Abito con due ragazzi greci, Kostas e Nadia: anche loro non
10 parlano bene il tedesco e non capiscono tutto, ma conoscono
    bene Berlino e nel tempo libero visitiamo insieme la città.
    Ogni giorno facciamo lunghe passeggiate vediamo posti interessanti,
    proviamo nuovi ristoranti o beviamo qualcosa insieme.
    Qualche volta, nel weekend io e Nadia visitiamo un museo perché
15 siamo grandi appassionate d'arte. Kostas invece preferisce fare sport
    quando noi andiamo al museo.
    In generale la sera preferiamo cenare a casa. Kostas e Nadia però
    dopo cena spesso vanno al cinema e il giovedì seguono un corso
    di tango. Io invece la sera sono molto stanca e non vado con loro:
20 resto a casa, leggo e guardo un po' di TV.
    E voi? Quando partite per le vacanze? Pensate di tornare in Puglia,
    o andate in campagna?
    A presto,
    Claudia

b. *Work with a partner. Answer the following questions.*

❶ Dov'è Claudia? Perché?

❷ Quale problema ha Claudia?

❸ Cosa fa Claudia nel tempo libero?

Le parti del giorno
la mattina: morning
il pomeriggio: afternoon
la sera: evening
la notte: night

6 RIFLETTIAMO | Presente indicativo: persone plurali · WB 5

a. *Find the following verbs in the e-mail that you have just read and write their conjugated forms next to the infinitive in the tables below. Numbers next to each verb refer to lines in the e-mail.*

-are			
riga	infinito	presente	persona
10	parlare	_____	3ª plurale
14	visitare	_____	1ª plurale
21	pensare	_____	2ª plurale

-ere			
riga	infinito	presente	persona
10	conoscere	_____	3ª plurale
12	vedere	_____	1ª plurale

-ire (primo tipo)			
riga	infinito	presente	persona
18	seguire	_____	3ª plurale
21	partire	_____	2ª plurale

-ire (secondo tipo)			
riga	infinito	presente	persona
7	capire	_____	1ª singolare
10	capire	_____	3ª plurale
15	preferire	_____	3ª singolare
17	preferire	_____	1ª plurale

b. *Fill in the table with present tense endings of verbs belonging to the first, second and third conjugation.*

persona		coniugazione presente dei verbi regolari			
		-are	-ere	-ire (primo tipo)	-ire (secondo tipo)
1ª singolare	io				
2ª singolare	tu				-isci
3ª singolare	lui / lei / Lei				
1ª plurale	noi			-iamo	
2ª plurale	voi		-ete		-ite
3ª plurale	loro				

7 ESERCIZIO ORALE | Persone plurali dei verbi regolari

Work with a partner. Together make up short conversations, as in the example.

> Esempio:
> leggere · un libro · il giornale
> ■ Loro **leggono** un libro, e voi cosa **leggete**?
> ▼ Noi **leggiamo** il giornale.

mangiare · la lasagna · i tortellini
prendere · un caffè · un succo di frutta
preferire · la musica classica · il rock
preparare · un dolce · la pizza

studiare · francese · tedesco
scrivere · una lettera · un'e-mail
guidare · la macchina · la moto
seguire · un corso di arte · un corso di cucina

8 RIFLETTIAMO | Avverbi di frequenza · WB 6 / 7 / 8

a. *Read Claudia's calendar.*

LUNEDÌ	MARTEDÌ	MERCOLEDÌ	GIOVEDÌ	VENERDÌ	SABATO E DOMENICA
lezione di tedesco	ristorante con Kostas e Nadia	lezione di tedesco	lezione di tedesco	lezione di tedesco	ristorante con Kostas e Nadia
ristorante con Kostas e Nadia		museo	ristorante con Kostas e Nadia	ristorante con Kostas e Nadia	museo
		ristorante con Kostas e Nadia			

b. *Look at these sentences which describe Claudia's week: they contain adverbs (**avverbi**) which refer to the frequency of an action.*

Durante la settimana Claudia...

▸ va **sempre** al ristorante.

▸ **non** va **mai** al cinema.

▸ va **spesso** a lezione di tedesco.

▸ **qualche volta** visita un museo con Nadia.

c. *Now write the following adverbs in descending order.*

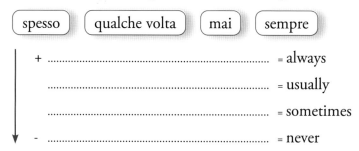

(spesso) (qualche volta) (mai) (sempre)

+ .... = always

.... = usually

.... = sometimes

- .... = never

d. *The adverb **sempre** is normally used after the verb.*
*When the adverb **mai** is used in a sentence, is the verb in the negative or affirmative form?*

9 ESERCIZIO SCRITTO | *Sempre, spesso, qualche volta* o *mai*

Indicate how often you do these activities. Use sempre, spesso, mai and qualche volta, as in the example.

> Esempio:
> fare ginnastica
> Non faccio mai ginnastica. / Faccio spesso ginnastica.

- usare i social network
- cucinare
- guardare la tv
- mangiare al ristorante

- andare a teatro
- leggere il giornale
- andare a sciare
- scrivere un'e-mail

- giocare a tennis
- studiare la notte
- fare giardinaggio
- parlare in spagnolo

10 ESERCIZIO ORALE E SCRITTO | *Giochi spesso a tennis?*

Go round the classroom and interview some classmates, asking them how often they do the activities from exercise 9. Take notes on their responses.

> Esempio:
> ■ Giochi spesso a tennis?
> ▼ Sì, gioco spesso a tennis. / No, non gioco mai a tennis. / Gioco a tennis qualche volta.

After collecting enough information, write down some sentences about yourself and your classmates, as in the following example:

Io e ___Tom non giochiamo mai a tennis.___

___Cindy___ e ___Arthur qualche volta scrivono un'e-mail.___

Io e _____

Io e _____

_____ e _____

_____ e _____

11 ASCOLTO | Intervista a uno studente italiano   21 ((▶

a. *Close the book, listen to the recording, then work with a partner and share information on the conversation.*

b. *Listen again to the recording, then fill in the blanks with information on the student.*

> Nome: _____
> Età: _____
> Città: _____
> Facoltà: _____

> **Facoltà / Faculties**
> **Giurisprudenza**: Law
> **Lettere e Filosofia**: Humanities
> **Economia**: Economics
> **Scienze politiche**: Political Sciences
> **Ingegneria**: Engineering
> **Architettura**: Architecture
> **Medicina**: Medicine

12 RIFLETTIAMO | Gli interrogativi · WB 9 / 10   20

*Complete the interview below with the items in the list. Then listen again to the interview from activity **11** and check your answers.*

che cosa   dove   com'   con chi   quanti

di dove   come   perché   che cosa

■ _____ ti chiami?

▼ Francesco Rosi.

■ _____ anni hai?

▼ 19.

■ _____ sei?

▼ Sono siciliano, di Catania.

■ _____ studi?

▼ Ingegneria a Catania.

■ _____ è l'università a Catania?
Come sono i tuoi professori?

▼ Mah, dipende dalla facoltà. Ingegneria, è piccola e organizzata, i professori sono molto bravi. So che a Economia e Architettura invece gli studenti hanno un po' di problemi.

■ _____ fai nel tempo libero, quando non studi?

▼ Be', io studio molto, perché ho paura di non superare gli esami: ingegneria è molto difficile. Nel tempo libero, suono la chitarra.
Il sabato e la domenica vedo gli amici: andiamo al cinema o in un locale per un concerto.

■ E fai sport?

▼ No, mi piace guardare il basket alla tv, ma non ho voglia di fare sport!

■ E _____ abiti?
Con la tua famiglia o con amici?

▼ Be', non lavoro, quindi abito ancora con la mia famiglia, ma l'anno prossimo vado in Inghilterra per sei mesi, da solo.

■ Ah, in Inghilterra!
E _____ in Inghilterra?

▼ Perché ho bisogno di imparare bene l'inglese, io non sono molto bravo con le lingue…

■ _____ vai esattamente?

▼ All'Università di Coventry. Non vedo l'ora di partire!

ATTIVITÀ DI SCRITTURA 1
go to page 71

┌─────────────────────────────────────┐
│ non vedo l'ora (di) =   │
│ I'm looking forward, I can't wait   │
└─────────────────────────────────────┘

13 COMBINAZIONI | Interrogativi

Make questions and then match them with the corresponding answers, as in the example.

❶ Come — abitano Carlo e Maria?   33975427768.
❷ Che cosa   anni avete?   Io medicina e Giulia architettura.
❸ Dove   andate a Venezia?   A Milano.
❹ Quanti   ti chiami? ————————————→   Anna.
❺ Qual   studiate?   23.
❻ Quando   è il tuo numero di telefono? Mercoledì.

14 PARLIAMO | *Che cosa fai nel tempo libero?*

Imagine that you are one of the people in the photographs. Think about this person's interests, what he / she does in his / her free time, what he / she studies or where he / she works. Then interview a classmate: ask each other questions in order to find out what person both you and he / she have chosen.

1  **2**  **3**

4  **5**  **6**

15 RIFLETTIAMO | Espressioni con il verbo *avere* • WB 11

a. *Read these sentences taken from the interview of activity* **12**.

> **a** ho paura di non superare gli esami

> **b** non ho voglia di fare sport

> **c** ho bisogno di imparare bene l'inglese

The expressions **avere bisogno di**, **avere voglia di** *and* **avere paura di** *cannot be literally translated. Match them with their English equivalent expressions.*

1 to need to → _____
2 to be afraid of → _____
3 to feel like → _____

b. *Now complete the rule (underline the correct option).*

After these expressions there can be either a noun (for example: *Ho voglia di un **caffè**, ho paura del **test**.*) or an adjective / an adverb / an infinitive.

c. *Fill in the table with the following conjugated forms of **avere**.*

(abbiamo) (hai) (ho) (avete) (hanno) (ha)

avere	
io	
tu	
lui / lei / Lei	
noi	
voi	
loro	

16 ESERCIZIO SCRITTO | Espressioni con il verbo *avere* • WB 12

a. *Read the sentences and match the expressions in bold with the pictures.*

❶◯ **Ho fame**, prendo un panino.
❷◯ **Ho sete**, vorrei un bicchiere d'acqua.
❸◯ Emma **ha sonno** perché dorme sempre male.
❹◯ **Hai freddo**? Chiudo la finestra?
❺◯ **Ho caldo**… Apri la finestra, per favore?
❻◯ Scusa, **ho fretta**! La lezione comincia tra cinque minuti!

 **a**
 **b**

 **c**
 **d**
 **e**
 **f**

17 ESERCIZIO SCRITTO E ORALE | *Di che cosa…?*

a. *Write answers to the following questions.*

| Che cosa fai nel tempo libero? | Di dove sei? | Quanti anni hai? |

| Di che cosa hai voglia adesso? | Di che cosa hai paura? |

b. *Now go round the classroom and ask your classmates the same questions. The activity lasts until one of the students finds someone who has at least three answers in common with him / her.*

18 RIFLETTIAMO | Presente indicativo: il verbo *andare, bere, essere, fare* e *stare* • WB 13 / 14 / 15 / 16

a. *Fill in the table with conjugated forms of verbs **andare**, **bere**, **essere**, **fare** and **stare** that you find in the e-mail of activity **5**, on page 60.*

	andare	bere	essere	fare	stare
io		bevo			
tu					
lui / lei / Lei		beve			
noi					
voi			siete	fate	
loro		bevono	sono	fanno	stanno

b. *Now try to complete the table with the remaining verb forms.*

19 ESERCIZIO ORALE | *Presente dei verbi regolari e irregolari*

Work with a partner. One student chooses a verb from the list and throws the dice:
his / her classmate must conjugate that verb using the person indicated by the dice (see chart).

1 = io
2 = tu
3 = lui / lei / Lei
4 = noi
5 = voi
6 = loro

essere seguire avere fare stare

finire conoscere andare bere

ATTIVITÀ DI SCRITTURA 2
go to page 71

20 RIFLETTIAMO | Uso dei verbi *sapere* e *conoscere* · WB 17 / 18 / 19 / 20

a. *The Italian equivalent of* **to know** *is either* **conoscere** *or* **sapere**. *Read the following sentences.*

I miei amici non **sanno** che cosa fare stasera.

Ma voi **sapete** come si chiama l'insegnante?

Loro **conoscono** Berlino.

Noi **conosciamo** molti ristoranti in centro.

sapere	
io	so
tu	sai
lui / lei / Lei	sa
noi	sappiamo
voi	sapete
loro	sanno

b. *Now complete the following sentences with the correct verbs:*
sapere or conoscere.

We use the verb _____ with nouns (of people, of cities, etc.).
We use the verb _____ with pronouns and adverbs (*come, cosa, chi, che,* etc.).

21 ASCOLTO | Un messaggio vocale

22

a. *In the e-mail of activity 5 Claudia wrote a mail to her friends Francesca and Mario.*
Mario replied with a vocal message. Listen to it and check if the sentences are true or false.

true   false

❶ Carlo parla quattro lingue.   ○ ○
❷ Carlo e Francesca vanno in vacanza con due amici.   ○ ○
❸ Antonio è il figlio di Ludovica.   ○ ○

b. *Read the following sentences taken from the vocal message and choose the correct form of the verbs*
sapere or conoscere. Then listen again and check.

❶ **Conosci / Sai** gente nuova, impari una nuova lingua…!
❷ Ancora non **conosciamo / sappiamo** quando partiamo…
❸ Ah, non **conosci / sai** chi viene con noi in vacanza!
❹ Forse però tu **conosci / sai** solo Ludovica!

22 LETTURA | *Cerco amici per parlare italiano*

a. *Read the following texts and match each one of them with the personal profiles below.*

Studio la lingua italiana per lavoro. Vorrei conoscere altre persone che studiano o parlano italiano. Nel tempo libero faccio sport, leggo libri e ascolto musica. La mia passione è la lirica, in particolare mi piacciono le opere di Rossini e Donizetti. Se ti piace l'opera italiana, scrivimi.

Quando non insegno, mi piace cucinare e fare sport. Studio italiano perché amo molto la cucina italiana e vado spesso in Toscana e in Piemonte per fare corsi di cucina regionale. Lo sport che preferisco è il calcio: ogni giovedì gioco nella squadra di professori del college. Nel fine settimana mi piace fare lunghe passeggiate in campagna.

Studio economia e lingua italiana. L'Italia mi piace moltissimo e dopo l'università vorrei andare a vivere a Venezia o a Firenze. Quest'estate, penso di fare un viaggio in Sicilia, una regione che non conosco. Nel tempo libero mi piace andare al cinema, mi piacciono molto i film americani. Vorrei conoscere studenti italiani. Ciao a tutti!

ⓐ
Nome: Adam
Cognome: Banks
Età: 41
Città: Oxford (Inghilterra)
E-mail: a.banks@yahoo.com
Professione: insegnante

ⓑ
Nome: María
Cognome: Rubio
Età: 22
Città: Córdoba (Argentina)
E-mail: maria.rubio@gmail.com
Professione: studentessa

ⓒ
Nome: Irina
Cognome: Ivanov
Età: 34
Città: Mosca (Russia)
E-mail: irinaiv@mail.ru
Professione: impiegata

b. *Who does what? Match sentences with people.*

	Adam	María	Irina
❶ Studia italiano per lavoro.	◯	◯	◯
❷ Il giovedì fa sport.	◯	◯	◯
❸ Fa lunghe passeggiate in campagna.	◯	◯	◯
❹ Va spesso al cinema.	◯	◯	◯
❺ Nel tempo libero legge.	◯	◯	◯
❻ Non conosce la Sicilia.	◯	◯	◯
❼ Ama la cucina regionale.	◯	◯	◯

c. *Whom would you like to do a language exchange with? Who do you think has similar tastes to your own? Choose one of the above mentioned persons and explain your choice to a classmate.*

23 RIFLETTIAMO | Il verbo *piacere* • WB 21 / 22 / 23

a. *Look at the people's profiles in activity* **22** *and complete the sentences in the table.*

piacere		
profilo 1	mi piacciono	
	ti piace	
profilo 2		cucinare
		fare lunghe passeggiate
profilo 3		andare al cinema
		i film americani

b. *Work with a partner. Read the sentences above and complete the rule with words in the list.*

[plural noun] [verb in the infinitive] [singular noun]

❶ **Mi / Ti piace** is followed by _____ or _____

❷ **Mi / Ti piacciono** is followed by _____

24 ESERCIZIO ORALE | *Ti piace...?* • WB 24 / 25 / 26

Interview one of your classmates. Find ot his / her likes and dislikes, as in the example.

> Esempio:
> ■ Ti piace / piacciono... ?
> ▼ No, non molto. / No, per niente. / Sì, abbastanza. / Sì, molto. / Sì, moltissimo.

[il rap] [i fumetti] [la musica classica] [il corso d'italiano] [dormire a lungo]

[cucinare] [i film di fantascienza] [leggere a letto] [le lasagne] [giocare a calcio]

ATTIVITÀ DI SCRITTURA 3
go to page 71

PRESENTE INDICATIVO – PRESENT TENSE

	abitare	prendere	dormire	capire
io	abito	prendo	dormo	capisco
tu	abiti	prendi	dormi	capisci
lui / lei / Lei	abita	prende	dorme	capisce
noi	abitiamo	prendiamo	dormiamo	capiamo
voi	abitate	prendete	dormite	capite
loro	abitano	prendono	dormono	capiscono

	giocare	pagare
io	gioco	pago
tu	giochi	paghi
lui / lei / Lei	gioca	paga
noi	giochiamo	paghiamo
voi	giocate	pagate
loro	giocano	pagano

There are two kinds of verbs that end in -ire: verbs like **dormire** (which are conjugated simply by combining root + ending) and verbs like **capire** (which have -isc- added before the ending in 1st, 2nd and 3rd person singular and 3rd person plural).
Verbs like **dormire**: aprire, partire, sentire.
Verbs like **capire**: finire, preferire, pulire.

Verbs that end in -**care** or -**gare** take **h** before the ending in second person singular and first person plural.

VERBI IRREGOLARI – IRREGULAR VERBS

	andare	avere	bere	essere	fare	stare
io	vado	ho	bevo	sono	faccio	sto
tu	vai	hai	bevi	sei	fai	stai
lui / lei / Lei	va	ha	beve	è	fa	sta
noi	andiamo	abbiamo	beviamo	siamo	facciamo	stiamo
voi	andate	avete	bevete	siete	fate	state
loro	vanno	hanno	bevono	sono	fanno	stanno

INTERROGATIVI – INTERROGATIVES

Chi? → Chi sei?
Che cosa? → Che cosa studi?
Che + noun? → Che giorno è oggi?
Come? → Come sta?
Dove? → Dove abiti?
Di dove? → Di dove sei?
Qual + essere? → Qual è il tuo indirizzo?
Quale + noun? → Quale corso frequenta?
Quali + noun? → Quali corsi frequenti?
Quanto? → Quanto costa il libro?
Quanto + noun? → Quanto tempo hai?
Quanta + noun? → Quanta carne compro?
Quanti + noun? → Quanti anni hai?
Quante + noun? → Quante amiche hai?
Quando? → Quando arrivate?
Perché? → Perché non telefoni?

PIACERE

The subject of **piacere** is not the person who likes somebody / something, but the person or the thing that is liked. That is why **piacere** is conjugated in the third singular person when followed by a singular noun, whereas the verb is in the third plural person when followed by a plural noun. The person who likes somebody / something is expressed through an indirect pronoun (**mi, ti**…).

When **piacere** is followed by another verb, it is conjugated in the third singular person and the last verb is in the infinitive form.

soggetto singolare
io → **Mi piace** questa musica.
tu → **Ti piace** la pizza?

soggetto plurale
io → **Mi piacciono** i libri.
tu → Non **ti piacciono** i gelati.

Mi piace **leggere**.
Non ti piace **ballare**?

SAPERE E CONOSCERE

Both **sapere** and **conoscere** are the equivalent of the English verb *to know*; however, these verbs are used in different ways.

Regular verb **conoscere** is followed by a direct object (a noun, a name, etc.).

Sapere, which is irregular in the present tense, is usually followed by a sentence.

When **sapere** is followed by an infinitive, it means **to be able to.**

Conosco San Francisco molto bene.
Conosci un buon ristorante cinese?

Non **so** come si chiama quel ragazzo.
So che Laura arriva stasera.

Loro **sanno** parlare bene inglese.
Non **so** ballare.

	conoscere	sapere
io	conosco	so
tu	conosci	sai
lui / lei / Lei	conosce	sa
noi	conosciamo	sappiamo
voi	conoscete	sapete
loro	conoscono	sanno

Note the correct pronunciation of the conjugated forms of the verb **conoscere**. The letters **sc** are pronounced like **sky** in first person singular and third person plural (**conosco**, **conoscono**); they are pronounced like **shy** in all other instances (**conosci**, **conosce**, **conosciamo**, **conoscete**).
Listen to the recording.   23 ((▶

ATTIVITÀ DI SCRITTURA · WRITING ACTIVITIES

1 Un'intervista a...

Choose one of these characters.
Make up a name, age, and place where the character lives.
Decide if the character studies or works, and then write
an interview based on the one found in activity **12**,
on page 64. Create at least six questions.

2 Un'e-mail

Write an e-mail to an Italian friend about how you spend your days, what do you do in your free time and during weekends.

3 Amici su internet

Find friends on the internet. Choose one of the people mentioned in activity **22** *on page 68, introduce yourself and write about your likes and dislikes.*

FREE TIME ACTIVITIES

andare al cinema	to go to the cinema
andare a teatro	to go to the theater
andare in bicicletta	to ride a bicycle
andare in palestra	to go to the gym
ascoltare musica	to listen to music
ballare	to dance
cucinare	to cook
dormire	to sleep
fare giardinaggio	to garden
fare la spesa	to shop (for groceries)
fare sport	to play sports
fare una passeggiata	to go for a walk
fare un viaggio	to make a trip
giocare a carte	to play cards
giocare a tennis	to play tennis
guardare la televisione	to watch television
leggere (un libro, un giornale, i fumetti...)	to read (a book, a newspaper, comics...)
mangiare al ristorante	to eat at the restaurant
sciare	to ski
scrivere un'e-mail	to write an e-mail
stare a casa	to stay at home
suonare la chitarra	to play the guitar
vedere gli amici	to hang out with friends
visitare (una città, un museo...)	to visit (a city, a museum...)

VERBS

aprire	to open
bere	to drink
capire	to understand
conoscere	to know
finire	to stop, to finish
partire	to leave
pensare	to think
piacere	to like
preferire	to prefer
pulire	to clean
sapere	to know, to be able
sentire	to hear, to feel

PARTS OF THE DAY

mattina (f.)	morning
pomeriggio (m.)	afternoon
sera (f.)	evening
notte (f.)	night

ADVERBS OF FREQUENCY

sempre	always
di solito	usually
spesso	often
qualche volta	sometimes
mai	never

INTERROGATIVES

Come?	How?
Dove?	Where?
Quando?	When?
Perché?	Why?
Che cosa? / Che?	What?
Qual? / Quale? / Quali?	Which? What?
Quanto?	How much?
Quanti?	How many?
Chi?	Who? Whom?

UNIVERSITY FACULTIES AND DEPARTMENTS

Giurisprudenza	Law
Lettere e Filosofia	Humanities
Economia	Economics
Scienze politiche	Political Sciences
Ingegneria	Engineering
Architettura	Architecture
Medicina	Medicine

EXPRESSIONS WITH VERB *AVERE*

avere bisogno (di)	to need (to)
avere voglia (di)	to feel like
avere paura (di)	to be afraid (of)
avere fame	to be hungry
avere sete	to be thirsty
avere sonno	to be sleepy
avere freddo	to be cold
avere caldo	to be hot
avere fretta	to be in a rush

USEFUL SENTENCES AND EXPRESSIONS

Che cosa fai nel tempo libero?	What do you do in your free time?
Non vedo l'ora!	I can't wait!
Mi piace / piacciono…	I like…
Ti piace / piacciono…?	Do you like…?

RISTORANTE, TRATTORIA O...?

1 *In their free time, Italians love to hang out with friends and go out to eat. Besides restaurants, in Italy there are all kinds of places to eat and drink.*

1 ○ Locale dove c'è una grande scelta di vini.
2 ○ Locale dove prendi un gelato.
3 ○ Locale dove mangi la pizza.
4 ○ Locale dove mangiare un pasto completo (primo, secondo, contorno, ecc.).
5 ○ Locale per fare colazione, prendere un caffè o qualcosa da bere o da mangiare in pochi minuti.
6 ○ È come il ristorante, ma più semplice ed economico.

a ristorante

b bar

c gelateria

d enoteca

e trattoria

f pizzeria

2 *Which of these places do you prefer and why?*

Episodio 4: IL QUIZ PSICOLOGICO

1 *Look at the frame before watching the episode, then answer the following questions.*
Then watch the video and check your answers.

ⓐ Dove sono i due ragazzi?

ⓑ Cosa fanno?

2 *Watch the episode again and complete the table below, as in the examples.*

attività	Laura dice che Federico...	Federico dice che...
❶ uscire con gli amici	//	
❷ fare sport	non fa mai sport.	
❸ cucinare		non cucina spesso.
❹ stare su internet		sta su internet solo due o tre ore al giorno.
❺ decidere	ha sempre problemi a decidere.	decide sempre senza problemi.

3 *Look at the frames, read what Laura and Federico say, then answer the questions.*

ⓐ

Sì. **Vabbe'**...

❶ Che cosa significa **vabbe'**?

   ⓐ ◯ Non importa.
   ⓑ ◯ Va bene.
   ⓒ ◯ Non mi piace.

ⓑ

Eh? **Boh**, direi spesso. Ma perché questa domanda?

❷ Che cosa significa **boh**?

   ⓐ ◯ Non voglio.
   ⓑ ◯ Non so.
   ⓒ ◯ Non mi piace.

ⓒ

Sì, per me... Un caffè. **Anzi** no, una birra. No, no, una birra no...

❸ Secondo te, perché Federico usa l'espressione **anzi**?

   ⓐ ◯ Perché non ama il caffè.
   ⓑ ◯ Perché cambia idea.
   ⓒ ◯ Perché ama solo la birra.

IN GIRO PER L'ITALIA

In this unit you will learn how to:
- describe a city, a neighborhood, a street
- talk about the quality of life in a given city
- ask and give street directions
- ask and tell time

listen to
the recordings
of unit 5

Is there a place in Italy that you would very much like to see?

ISOLA DI BURANO, VENEZIA

5 IN GIRO PER L'ITALIA

1 PARLIAMO | Il Bel Paese

a. *Work with a partner. Match the following places with the corresponding photographs.*

❶ il golfo di Napoli
❷ i trulli di Alberobello
❸ il Palazzo Ducale a Venezia
❹ il Duomo di Firenze
❺ il Colosseo a Roma

b. *Do you know any of these places, or any other Italian city or monument?*

2 LETTURA | Questionario: la vita in un'altra città · WB 1

Read the questionnaire on the quality of life of an Italian student who attends university far from home and complete it with the questions in the list, as in the example.

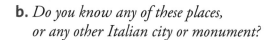

ⓐ Con chi vivi? **ⓑ** Come vai all'università e come giri per la città?

ⓒ Molti dicono che Bologna è una città costosa, sei d'accordo? **ⓓ** Che cosa studi?

ⓔ Dove studi: a casa o in biblioteca? **ⓕ** Ti piace questa situazione?

ⓖ Da quanto tempo vivi a Bologna? **ⓗ** Prendi spesso il treno? ✔ **ⓘ** Di dove sei?

nome: Stefania Ricci

❶ __i__ ▸ Sono di Reggio Calabria.

❷ ___ ▸ Da tre anni.

❸ ___ ▸ Studio filosofia all'università.

❹ ___ ▸ Vivo con altre ragazze in un appartamento vicino al centro.

❺ ___ ▸ Sì, molto! L'appartamento è tranquillo e la mia camera è luminosa. Nel palazzo ci sono altri studenti: al primo piano abitano due ragazze spagnole e vicino a noi abitano tre ragazzi simpatici di Venezia. Qualche volta la sera usciamo insieme: a Bologna ci sono molti locali economici. In primavera e in estate, spesso ceniamo insieme in terrazza: abbiamo una terrazza spaziosa.

❻ ___ ▸ Dipende. Quando ho lezione rimango all'università e vado in biblioteca a studiare. Gli altri giorni rimango a casa. Il nostro appartamento è silenzioso: due di noi, Paola e Francesca, lavorano (fanno le commesse in un negozio di vestiti), escono la mattina e tornano a casa la sera; Maria studia medicina e va all'università tutti i giorni.

❼ ___ ▸ Di solito vado in bicicletta o in autobus. Le biciclette sono tante a Bologna: la città è abbastanza piccola ed è comodo usare la bicicletta, quando non piove; in inverno, però, preferisco andare a piedi.

❽ ___ ▸ Solo quando torno a casa. Di solito vado in Calabria in treno. I miei genitori quando vengono a trovarmi a Bologna prendono l'aereo, ma per me è caro.

❾ ___ ▸ Sì, tutto è più caro qui a Bologna, gli appartamenti, i negozi, i supermercati, anche il cinema. I miei genitori pagano l'affitto della mia camera e mi danno 200 € al mese, non sono mai abbastanza.

3 RIFLETTIAMO | Presente dei verbi irregolari • WB 2 / 3 / 4 / 5

a. *Fill in the table with present tense (**presente indicativo**) forms of the irregular verbs that you find in the previous questionnaire.*

persona		dare	dire	rimanere	uscire	venire
1ª singolare	io	do	dico		esco	
2ª singolare	tu		dici		esci	vieni
3ª singolare	lui / lei / Lei	dà		rimane		viene
1ª plurale	noi					
2ª plurale	voi	date	dite	rimanete	uscite	
3ª plurale	loro					

b. *Now complete the previous table with the following verb forms.*

(venite) (dai) (rimaniamo) (diciamo) (rimangono) (diamo)

(vengo) (esce) (veniamo) (dice) (rimani)

4 ESERCIZIO ORALE | Verbi

Work with a partner. Repeat the two conversations below changing the subject pronouns, as in the example. Switch roles after each transformation.

1 (**Loro** (femminile)) (**Loro** (femminile))

✦ Loro cosa fanno?

▼ Sono due commesse.
Escono la mattina e tornano la sera.

Esempio: (**Lui**) (**Lui**)

✦ Lui cosa fa?

▼ È un commesso.
Esce la mattina e torna la sera.

a (**Tu**) (**Io** (maschile))   **c** (**Lei**) (**Lei**)

b (**Voi**) (**Noi** (maschile))   **d** (**Lei** (formale)) (**Io** (femminile))

2 (**Tu**) (**Io**)

✦ Dove studi: a casa o in biblioteca?

▼ Quando ho lezione rimango all'università e vado in biblioteca.

a (**Loro**) (**Loro**)   **b** (**Voi**) (**Noi**)

c (**Lui**) (**Lui**)   **d** (**Lei** (formale)) (**Io**)

5 ESERCIZIO ORALE | Presente dei verbi irregolari

Work with a partner. One student throws the dice and moves his / her token clockwise starting from the VIA! He / She must conjugate the verb shown by the box using the person indicated by the dice (see central chart). The other student checks whether the sentence is correct, then also throws the dice, moves to a new box and makes a sentence. Both students keep on playing following the chart clockwise until the teacher says STOP!

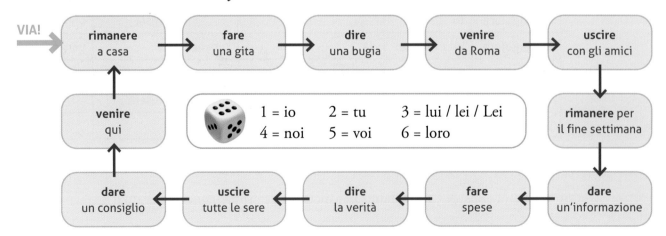

6 RIFLETTIAMO | **Preposizioni semplici: *a* o *in*?** · WB 6 / 7 / 8 / 9

a. *Read again this part of the questionnaire (activity **2**) and choose the preposition that you think is correct.*

❼ Come vai all'università e come giri per la città?

Di solito vado **a / in** bicicletta o **a / in** autobus. Le biciclette sono tante **a / in** Bologna: la città è abbastanza piccola ed è comodo usare la bicicletta, quando non piove; **a / in** inverno, però, preferisco andare **a / in** piedi.

❽ Prendi spesso il treno?

Solo quando torno **a / in** casa. Di solito vado **a / in** Calabria in treno.

b. *Now compare your answers with a partner's and then check them together reading the questionnaire in activity **2** (page 77) again. Then complete the table on prepositions.*

Vado **all'**università Torno **a** casa	_____	bicicletta. / macchina. / motorino. treno. / aereo. / autobus. / nave.
	_____	piedi.

7 ESERCIZIO SCRITTO E ORALE | *Come vai a casa?*

a. *Write a few sentences to explain how you go to the following places as well as to three other places of your choice, as in the example.*

> Esempio:
> Vado a casa in bicicletta.

- a casa
- all'università
- in Italia
- a Tokyo
- al ristorante
- in palestra
- a Capri
- al supermercato
- _____
- _____
- _____

b. *Now go round the classroom and ask your classmates how they go to the above mentioned places.*

8 ASCOLTO | *In che zona abiti?* 24 ((▶

a. *These photographs depict a neighborhood in Naples that Giovanni describes in the recording. What type of neighborhood do you think this is?*

b. *Close the book and listen to the recording; then work with a partner and share information on the conversation.*

c. *Work with the same partner. Choose the correct option, then listen again and check your answers.*

❶ Carla
- **a**○ lavora in ufficio.
- **b**○ lavora in banca.

❷ Giovanni
- **a**○ è di Napoli.
- **b**○ abita a Napoli.

❸ Per Giovanni
- **a**○ il nuovo lavoro è interessante e stimolante.
- **b**○ il nuovo lavoro è difficile e poco interessante.

❹ Giovanni
- **a**○ abita in un quartiere bello ma turistico.
- **b**○ abita in un quartiere poco turistico ma vivace.

❺ Carla
- **a**○ conosce bene Napoli.
- **b**○ conosce poco Napoli.

❻ Carla
- **a**○ accetta l'invito di Giovanni.
- **b**○ non accetta l'invito di Giovanni.

9 RIFLETTIAMO | *C'è / Ci sono* · WB 10 / 11 / 12 / 13   25 ((▶

a. *Listen the part of the previous conversation again and choose the correct form.*

■ Sì, sì, mi piace! È un lavoro nuovo, **c'è / ci sono** molti aspetti che non conosco, ma in generale è una situazione molto stimolante.

▼ Immagino… E ti piace vivere a Napoli? In che zona abiti?

■ Abito a due passi dal centro, vicino a via Toledo.

▼ Via Toledo! Una strada elegante…

■ Elegante e affollata: **c'è / ci sono** molti negozi di moda, **c'è / ci sono** sempre tantissima gente. Io però abito in una parte più popolare, vicino ai Quartieri Spagnoli.

▼ Ah, ma dai! È una zona molto caratteristica.

■ Sì. Non **c'è / ci sono** tutti i turisti del centro, ma è un'area molto vivace, veramente unica.

▼ Eh sì, e piena di pizzerie!

■ Be', sì, **c'è / ci sono** tante pizzerie, però non solo… **C'è / Ci sono** anche tanti locali, negozi tipici, **c'è / ci sono** molta arte urbana: **c'è / ci sono** dei murales bellissimi…

▼ No, certo: a Napoli non **c'è / ci sono** solo la pizza…

[…]

■ Senti, ma perché non vieni a trovarmi?

▼ Mah… Grazie, con piacere!

■ Vieni un fine settimana: non **c'è / ci sono** nessun problema.

b. *Look at the previous sentences and complete the rule on c'è and ci sono.*

(singular) (plural)

▸ c'è / **non c'è** is used with _____ nouns.

▸ ci sono / **non ci sono** is used with _____ nouns.

Insomma is an expression used to end and sum up a sentence; in English it corresponds to **in short, in conclusion**.

■ *A casa tutto normale, insomma la solita vita.*

Ma dai is an expression used to show surprise and corresponds to the English **really?** or **come on**.

■ *Io però abito in una parte più popolare, vicino ai Quartieri Spagnoli.*
▼ *Ah, ma dai!*

Volentieri and **con piacere** correspond to the English **that would be great** or **gladly**.

■ *Perché non vieni a trovarmi?*
▼ *Mah… Grazie, con piacere!*
■ *Vieni un fine settimana: non c'è nessun problema!*
▼ *Volentieri, con piacere.*

10 ESERCIZIO SCRITTO | A Napoli

*Look at the images of Naples and then complete the sentences with **c'è** or **ci sono**. If there are words that you don't recognize, ask your teacher for help. Some words do not relate to the images, and in such instances, you will have to use the negative form.*

piazza Trento e Trieste

lungomare e Castel dell'Ovo

a Ci sono _____ palazzi.
b _____ alberi.
c _____ una chiesa.
d Non ci sono _____ biciclette.
e _____ macchine.
f _____ una fontana.

g Non ci sono _____ autobus.
h _____ il mare.
i _____ una macchina.
l _____ farmacie.
m _____ un castello.
n _____ persone.

11 ESERCIZIO ORALE | *C'è una chiesa*

*Work with a partner. Taking turns, one of you creates a sentence using **c'è** or **ci sono** and a word in the box below. Your partner has to say which city the sentence refers to, as in the example.*

una spiaggia • persone • una fontana • un canale • alberi • bar • il mare
palazzi • una chiesa • un ponte • locali

Esempio:
A: C'è il mare.
B: È Ortigia.

Firenze, piazza Santo Spirito

Ortigia

Milano, quartiere dei Navigli

12 ESERCIZIO ORALE | *C'è / Ci sono*

*Work with a partner. Take turns saying what there is or what there isn't in your town. If you use the correct form of **c'è** or **ci sono** you win one point. The winner is the person who has the most points when the teacher signals the end of the game.*

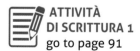
ATTIVITÀ DI SCRITTURA 1
go to page 91

13 LEGGIAMO | Tre quartieri tipici · WB 14

a. *Read the description of these three local neighborhoods.*

Siracusa – Ortigia **Un'atmosfera unica** Il centro storico di Siracusa è in una piccola isola, Ortigia. Di giorno l'isola è molto bella, con le sue strade tipiche, le case antiche e le spiagge meravigliose. Di notte è ricca di locali e ristoranti sul lungomare. Spesso ci sono interessanti manifestazioni culturali. Ortigia è un posto veramente particolare e per questo il traffico e le macchine, anche nelle zone centrali, sono un'offesa alla sua bellezza.	**Milano – I Navigli** **Belli e sempre interessanti** I Navigli, i canali di Milano, sono una zona davvero suggestiva e molto interessante culturalmente. Un tempo una zona pericolosa, oggi sono sicuri e vivaci. I canali sono ricchi di locali, spazi culturali e mercati caratteristici. Anche se non è un'area centrale ci sono molti turisti e stranieri. Il problema più grande è il traffico: nel fine settimana è veramente caotico!	**Firenze – Santo Spirito e Oltrarno** **Una zona vivace fuori dal turismo di massa** Firenze ha molte zone turistiche ma l'Oltrarno è un quartiere diverso con un'atmosfera particolare e caratteristica. Nel quartiere ci sono negozi tipici, studi di artisti e molti locali. Piazza Santo Spirito è un punto di incontro interessante e vivace con bar e ristoranti all'aperto. Un grande problema per gli abitanti del quartiere sono i ragazzi e gli studenti che fanno confusione e parlano a voce alta in piazza.

b. *Which of these neighborhoods would you like to visit and why?*

14 RIFLETTIAMO | Aggettivi · WB 15 / 16 / 17

a. *Work with a partner. Fill in the following table with all adjectives that you find in the texts of activity **13**, as in the examples.*

maschile		femminile	
singolare	plurale	singolare	plurale
storico		piccola	tipiche

b. *Now you can figure out how Italian adjectives function. Work with a partner and together try to complete the following tables on the two groups of adjectives.*

	aggettivi del 1° tipo		aggettivi del 2° tipo	
	maschile	femminile	maschile	femminile
singolare	-o			
plurale		-e		

When an adjective refers to several both masculine and feminine entities, it is always used in the masculine plural form.
Pietro è italiano.
Chiara è italiana.
Pietro e Chiara sono italiani.

15 ESERCIZIO SCRITTO | Articoli, sostantivi, aggettivi

Combine words by matching the given nouns with the appropriate definite article (left column) and adjective (right column), as in the example. Some adjectives can be used with different nouns.

✔ il	_____	manifestazione	_____	romani
lo	_____	quartieri	_____	urbana
la	*il*	negozio	*tipico*	residenziali
i	_____	studente	_____	caratteristici
le	_____	locale	_____	✔ tipico
i	_____	obelischi	_____	elegante
gli	_____	arte	_____	antiche
l'	_____	ristoranti	_____	culturale
il	_____	chiese	_____	straniero

16 ESERCIZIO SCRITTO E ORALE | Aggettivi

a. *Match adjectives with their opposites, choosing from the following list.*

(basso) (brutto) (lungo) (rilassante) (piccolo) (tranquillo)

antico / moderno alto / _____

famoso / sconosciuto _____ / corto

grande / _____ _____ / stressante

bello / _____ _____ / caotico

ATTIVITÀ DI SCRITTURA 2
go to page 91

b. *Work with a partner. Use three adjectives to describe each of the following places (do not mention their names!). Your partner must guess which place you are describing.*

le colonne di San Lorenzo (Milano)

piazza Castello (Torino)

i faraglioni (Capri)

il museo MAXXI (Roma)

la torre di Pisa

Castel del Monte (Andria)

17 SCRIVIAMO E PARLIAMO | *Com'è la vita nella vostra città?*

a. *Imagine that you are a part-time journalist. You must make a list of questions for a survey on the quality of life in the city where you and your classmates all study.*

b. *The teacher forms two groups: journalists and people to interview. Imagine that you all are in the street. After the teacher says* VIA! *each journalist chooses a person passing by and starts asking him / her the questions that he / she prepared before. When the teacher says* **CAMBIO!** *all students switch roles: those who are now journalists choose another person (not the one whom they were talking to) and interview him / her.*

18 LETTURA | Indicazioni per la Fontana di Trevi · WB 18 / 19

a. *Look at the map and read the corresponding street directions.*

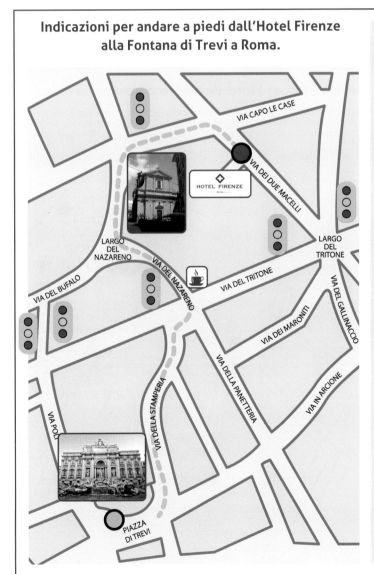

Indicazioni per andare a piedi dall'Hotel Firenze alla Fontana di Trevi a Roma.

Dall'Hotel Firenze, vai a sinistra su via dei Due Macelli.

Giri alla prima strada a sinistra, via Capo le Case.

Quando arrivi a una piccola piazza con una chiesa, giri a sinistra.

Vai dritto fino a largo del Nazareno.

Giri a sinistra in via del Nazareno.

Vai dritto fino all'incrocio con via del Tritone, sulla sinistra c'è un bar, sulla destra un semaforo.

Al semaforo attraversi via del Tritone.

Davanti a te ci sono due strade, prendi quella a destra, via della Stamperia.

Vai dritto fino a piazza di Trevi. La Fontana di Trevi è sulla destra.

b. *Read the previous street directions again and match the words in the list with the pictures below.*

(attraversare) (strada) (destra) (dritto) (incrocio) (semaforo) (sinistra)

❶ _____

❷ la prima _____ a destra

❸ _____

❹ _____ la piazza

❺ andare _____

❻ girare a _____

❼ girare a _____

19 ESERCIZIO SCRITTO E ORALE | Indicazioni per la Fontana di Trevi

*Work with a partner. One of you (**Student A**) reads the instructions below, the other (**Student B**) goes to the next page.*

Student A

a. Write down an alternative itinerary from Hotel Firenze to Fontana di Trevi in the map on the left.

My alternative itinerary

Student B's alternative itinerary

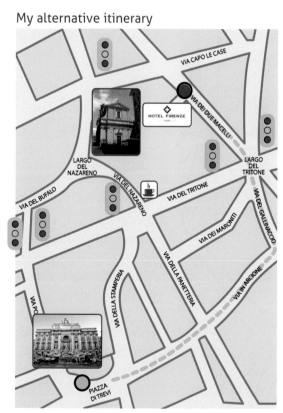

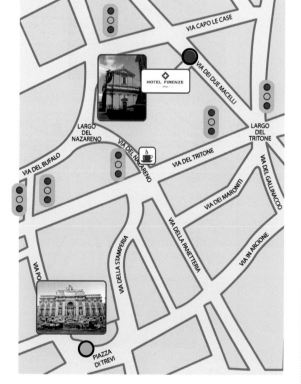

b. Read your alternative itinerary to **Student B**, who has to depict it in his / her own map on the next page. Then switch roles: **Student B** reads his / her own alternative itinerary while you depict it in the map on the right above.

Student B

a. Write down an alternative itinerary from Hotel Firenze to Fontana di Trevi in the map on the left.

My alternative itinerary

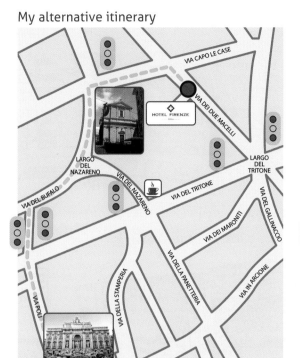

Student A's alternative itinerary

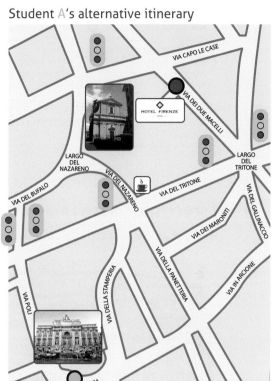

b. Student A reads his / her alternative itinerary while you depict it in your map on the right. Then switch roles: you read your own alternative itinerary while **Student** A depicts it in his / her own map (on the previous page).

20 ESERCIZIO ORALE | *Scusa, dov'è...?*

*Work with a partner. **Student** A reads this page.*
Student B reads the next page.

Scusa / Scusi means both **I'm sorry** and **Excuse me**!	
informale	Scusa!
formale	Scusi!

Student A
You are at the train station. Ask how to get to the following places and use the map to follow street directions provided by **Student** B.

❶ un supermercato   ❷ una libreria

❸ un hotel   ❹ un cinema

Esempio:
A: Scusa, c'è un supermercato qui vicino?
B: Sì, giri a…

Student B
You are at the train station. Ask how to get to the following places and use the map to follow street directions provided by **Student** A.

❶ una farmacia   **❷** una banca

❸ un ospedale   **❹** un ufficio del turismo

Esempio:
B: Scusa, c'è un supermercato qui vicino?
A: Sì, giri a…

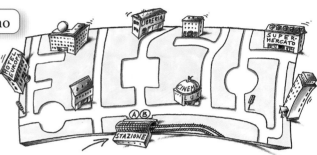

21 ESERCIZIO SCRITTO | Preposizioni • WB 20 / 21

a. *Look at the picture and combine sentence parts, as in the example.*

✎ **ATTIVITÀ
DI SCRITTURA 3**
go to page 91

❶ ⓔ L'ufficio postale è   **ⓐ** fra il museo e il teatro.

❷ ◯ La chiesa è   **ⓑ** di fronte al supermercato.

❸ ◯ Il distributore è   **ⓒ** davanti alla scuola.

❹ ◯ Il parcheggio è   **ⓓ** all'angolo.

❺ ◯ Il bar è   **ⓔ** accanto alla banca.

❻ ◯ La fermata dell'autobus è   **ⓕ** dietro la stazione.

**Negozi /
Shops**
cartoleria:
stationery
store
edicola:
news-stand
fruttivendolo:
fruit shop
macelleria:
butcher shop
pescheria:
fish shop
libreria:
book shop
farmacia:
pharmacy

b. *Now, still looking at the previous picture, complete the sentences with the expressions in the list.*

di fronte / davanti   accanto / vicino   fra / tra   dietro

❶ La banca è _____ l'ufficio postale e il bar.

❷ Il teatro è _____ alla chiesa.

❸ Il museo è _____ alla chiesa.

❹ Il distributore è _____ la scuola.

❺ La stazione è _____ al teatro.

❻ La fontana è _____ al museo.

❼ La fermata dell'autobus è
_____ al supermercato.

22 LETTURA | *Che ora è?* · WB 22 / 23 / 24

Match the following sentences with the corresponding clocks, as in the example.

✔ ❶ È mezzogiorno. / È mezzanotte.
❷ Sono le due e mezza.
❸ Sono le tre meno venti.
❹ Sono le due e un quarto.
❺ È l'una.
❻ Sono le due.
❼ Sono le due e venticinque
❽ Sono le tre meno un quarto.

ⓐ○ ⓑ○ ⓒ○ ⓓ○

ⓔ○ ⓕ○ ⓖ○ ⓗ①

23 RIFLETTIAMO | Dire l'ora

*Look at the sentences in activity **22** again. Some of them have a singular verb, some others a plural verb. Discuss with a partner and together try to find out why.*

24 ESERCIZIO SCRITTO | *E adesso che ore sono?*

Write the time.

❶ ❷ ❸ ❹

To ask for the time both **Che ora è?** and **Che ore sono?** are commonly used.

In Italian AM and PM abbreviations are unusual. When the context is not clear enough and one needs to specify the time of day, some expressions might be helpful:
- **di mattina** (from sunrise to noon)
- **di pomeriggio** (from 1 PM to sunset)
- **di sera** (from sunset to midnight)
- **di notte** (from 1 AM to sunrise)

2 AM = le due **di notte**
2 PM = le due **di pomeriggio**
10 AM = le dieci **di mattina**
10 PM = le dieci **di sera**

In formal communication, especially written, the 24-hour system is used (7 PM = 19:00; 8 PM = 20:00, etc.).

VERBI IRREGOLARI – IRREGULAR VERBS

	andare	avere	bere	dare	dire	essere
io	vado	ho	bevo	do	dico	sono
tu	vai	hai	bevi	dai	dici	sei
lui / lei / Lei	va	ha	beve	dà	dice	è
noi	andiamo	abbiamo	beviamo	diamo	diciamo	siamo
voi	andate	avete	bevete	date	dite	siete
loro	vanno	hanno	bevono	danno	dicono	sono

	fare	rimanere	scegliere	stare	uscire	venire
io	faccio	rimango	scelgo	sto	esco	vengo
tu	fai	rimani	scegli	stai	esci	vieni
lui / lei / Lei	fa	rimane	sceglie	sta	esce	viene
noi	facciamo	rimaniamo	scegliamo	stiamo	usciamo	veniamo
voi	fate	rimanete	scegliete	state	uscite	venite
loro	fanno	rimangono	scelgono	stanno	escono	vengono

PREPOSIZIONI – PREPOSITIONS: *A, IN*

Preposition a (with or without articles) indicates one's destination and / or the place where one is.

	+ il	+ lo	+ la	+ l'	+ i	+ gli	+ le
a	al	allo	alla	all'	ai	agli	alle

Preposition in is used before some places such as biblioteca, chiesa, centro, ufficio and before all the words ending in -ia (farmacia, macelleria, pizzeria, etc.).

Preposition in also indicates means of transportation used to reach or leave a place.

Vado **a** casa. / Sono **a** casa.
Vai **a** scuola. / Sei **a** scuola.
Cristina va **all'**università.
Vieni **al** cinema stasera?

Vado **in** biblioteca.
Abito **in** centro.

Vado a casa **in** bicicletta
o **in** autobus.
But: Torno a casa **a** piedi.

C'È / CI SONO

C'è and ci sono are two forms of the verb esserci and indicate the presence of people, animals, or objects in a specific place. In English they can be translated with there is / there are. C'è is followed by a singular noun, ci sono by a plural noun.

The difference between è / sono and c'è / ci sono is similar to the difference between is / are and there is / there are in English.

C'è una fontana antica.
Oggi non **c'è** traffico.
Nell'appartamento **ci sono** tre balconi.

C'è una farmacia qui vicino?
La banca **è** davanti al supermercato.

AGGETTIVI – ADJECTIVES

Italian adjectives agree in gender and number with the nouns to which they refer.

	aggettivi del 1° tipo		aggettivi del 2° tipo
	maschile	femminile	maschile + femminile
singolare	-o	-a	-e
plurale	-i	-e	-i

Some adjectives of the 1st type: **famoso, bello, brutto, caro**...
Some adjectives of the 2nd type: **interessante, elegante, grande, stressante**...
As a rule, the adjective is placed after the noun.

Plural forms of adjectives ending in -co and -go usually take an extra **h**.

Most adjectives ending in -co and stressed on the second to last syllable do not take the extra **h**.

il ristorante costos**o** → **i** ristoranti costos**i**

la pensione costos**a** → **le** pensioni costos**e**

il museo interessant**e** → **i** musei interessant**i**
la chiesa interessant**e** → **le** chiese interessant**i**

barocco → barocchi	barocca → barocche
lungo → lunghi	lunga → lunghe
tipico → tipici	tipica → tipiche

✍ ATTIVITÀ DI SCRITTURA · WRITING ACTIVITIES

1 Il mio quartiere preferito
Describe an area / place in your city that you especially love and explain why. Use **c'è** *and* **ci sono**.

2 Saluti da...
You are on a trip in Italy and find yourself in one of the places that you have learned about in class. Pick one of these and write a post on Instagram.

♡ ◯ ▽   ▢

♥ piace a 508 persone

_____

_____

_____

3 Indicazioni stradali
Read the map and write how to get from Hotel Trevi (purple dot) to the Church of Sant'Andrea on foot.

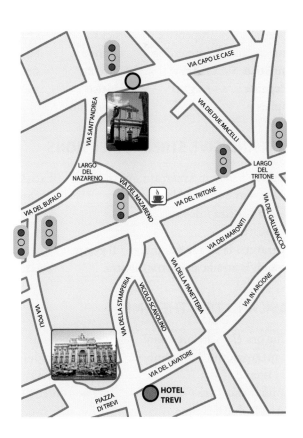

THE HOUSE

appartamento (m.)	flat
piano (m.)	floor
camera (f.)	bedroom
terrazza (f.)	terrace

MEANS OF TRANSPORT

bicicletta (f.)	bicycle
macchina (f.)	car
motorino (m.)	scooter
treno (m.)	train
aereo (m.)	plane
autobus (m.)	bus
nave (f.)	ship

USEFUL EXPRESSIONS

insomma	in short, in conclusion
ma dai	really?
volentieri	willingly
con piacere	willingly

THE CITY

strada (f.)	street, road	**quartiere** (m.)	neighborhood
palazzo (m.)	building	**ponte** (m.)	bridge
chiesa (f.)	church	**incrocio** (m.)	crossroads
piazza (f.)	square	**semaforo** (m.)	traffic light
fontana (f.)	fountain	**centro (storico)** (m.)	(historic) center
traffico (m.)	traffic		

SHOPS AND SERVICES

supermercato (m.)	supermarket	**hotel** (m.)	hotel
farmacia (f.)	pharmacy	**teatro** (m.)	theather
libreria (f.)	book shop	**biblioteca** (f.)	library
cartoleria (f.)	stationery store	**ufficio postale** (m.)	post office
edicola (f.)	news-stand	**distributore** (m.)	gas station
fruttivendolo (m.)	fruit shop	**parcheggio** (m.)	parking area
macelleria (f.)	butcher shop	**fermata dell'autobus** (f.)	bus stop
pescheria (f.)	fish shop		
cinema (m.)	cinema		
locale (m.)	bar, club		
palestra (f.)	gym		
museo (m.)	museum		

ADJECTIVES

economico	cheap	**pericoloso**	dangerous	**famoso**	famous	**basso**	low, short
caro	expensive	**sicuro**	safe	**sconosciuto**	unknow	**lungo**	long
interessante	interesting	**grande**	big	**bello**	beautiful, handsome	**corto**	short
turistico	tourist	**piccolo**	small			**tranquillo**	calm, relaxed
elegante	elegant	**antico**	ancient	**brutto**	ugly	**stressante**	stressful
tipico	typical	**moderno**	modern	**alto**	high, tall	**caotico**	chaotic

ASK AND GIVE STREET DIRECTIONS

Scusi, c'è un supermercato qui vicino?	Excuse me, is there a supermarket nearby?
Scusi, dov'è Piazza Navona?	Excuse me, where is Piazza Navona?
Giri a sinistra / destra.	You turn to the left / right.
Vai dritto.	You go straight ahead.
Attraversi la strada / la piazza / il ponte.	You cross the street / the square / the bridge.
Prendi la strada a sinistra / destra.	You take the first street on the left / right.

PREPOSITIONS

di fronte a	in front of
davanti a	in front of
accanto	next to
vicino	next to
fra	between
tra	between
dietro	behind

ASK AND TELL THE TIME

Che ora è? / Che ore sono?	What time is it?	Sono le due e un quarto.	It's a quarter past two.
È mezzogiorno / mezzanotte.	It's noon / midnight.	Sono le due e mezza.	It's half past two.
È l'una.	It's one o'clock.	Sono le tre meno venti.	It's twenty to three.
Sono le due / tre / quattro.	It's two / three / four o'clock.	Sono le tre meno un quarto.	It's a quarter to three.
Sono le due e cinque.	It's five past two.		

QUANTA ITALIA C'È IN TE?

1 *What do you know about Italy's geography and demographics?*
Test your knowledge!

> Italy has approximately 60 million inhabitants. Italy has 20 regions. *(printed upside down)*

a Popolazione: ○ 49 milioni ○ 60 milioni ○ 35 milioni
b Numero di regioni: ○ 15 ○ 20 ○ 27

2 *Put the major Italian cities in order, from most (1) to least (10) populated.*
Check the bottom of the page to see if you guessed correctly.

○ Milano ○ Palermo ○ Torino ○ Bari ○ Catania
○ Bologna ○ Roma ○ Firenze ○ Genova ○ Napoli

3 *Now answer some questions about Italian geography.*

a Italy has several active volcanoes. Do you know how many? ○ 2 ○ 3 ○ 5

Do you know their names? _____

b Italy also has a few mountain ranges. Do you know how many? ○ 2 ○ 3 ○ 4

Do you know their names? _____

c The country of Italy completely surrounds other independent states, also known as sovereign enclaves. Do you know how many? ○ 2 ○ 3 ○ 4

Do you know their names? _____

d Pizza was invented in Italy in 1860. Do you know where exactly?
○ Genova
○ Firenze
○ Napoli

e In Italy there are two bilingual regions: Valle d'Aosta and Trentino-Alto Adige. What other languages, besides Italian, are spoken there?
○ Spanish and French
○ French and German
○ English and German

(answers printed upside down:)
a. 3 / Vesuvio (region Campania) and Stromboli and Etna (region Sicily)
b. 2 / The Alps and the Apennines
c. 2 / Vatican City and San Marino
d. Napoli
e. French and German

city	population
1. Roma	± 2.6 millions
2. Milano	± 1.3 millions
3. Napoli	± 950 000
4. Torino	± 900 000
5. Palermo	± 650 000
6. Genova	± 600 000
7. Bologna	± 400 000
8. Firenze	± 350 000
9. Bari	± 300 000
10. Catania	± 300 000

Episodio 5: LA SECONDA A DESTRA

1 *Look at the frames before watching the episode and insert the sentences in the list under their matching scenes. Please note that some sentences can be matched with different frames. Then watch the episode and check your answers.*

❶ Senta, scusi: sa dov'è un ristorante qui vicino?

❷ Ma sei sicuro? Dove siamo?

❸ Allora, Vale, adesso dove andiamo?

❹ No, qui è tutto vicino anche a piedi.

❺ Non può sbagliare, il ristorante si chiama "La cantina di Bacco".

❻ Vedo che sulla strada c'è anche una bella chiesa del Trecento.

a

sentence(s):

b

sentence(s):

c

sentence(s):

2 *Are the following sentences true or false? Watch the episode again and check your answers.*

	true	false
❶ Il museo civico ha un orario continuato.	○	○
❷ A Matteo non piace usare le mappe.	○	○
❸ Matteo e Laura hanno fame.	○	○
❹ Matteo e Federico sbagliano strada una volta.	○	○
❺ Federico non sa usare bene il tablet.	○	○
❻ Matteo e Federico vogliono visitare una chiesa.	○	○
❼ Le indicazioni del passante non sono chiare.	○	○

3 *Watch the episode again from 03'14" to 03'32" and indicate on the map how Federico and Matteo can get to the restaurant "La cantina di Bacco" according to the man's directions.*

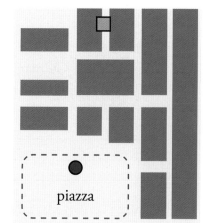

● Matteo e Federico
◼ Ristorante "La cantina di Bacco"

piazza

IN ALBERGO

In this unit you will learn how to:
- understand hotel brochures
- describe a hotel and a room
- complain about a hotel room
- ask for information on accommodation
- ask for and give timetable information
- talk about holiday activities

listen to
the recordings
of unit 6

Hotels, B&Bs,
apartments, or
hostels: which
accomodation
would you choose
for a trip to Italy
and why?

6 IN ALBERGO

1 LETTURA | *Albergo, ostello o...?* • WB 1 / 2 / 3

Read the descriptions of the following accommodations and match them with their name, then select the icons that correspond to each description, as in the example. One name does not correspond to any description.

1 OSTELLO BELLO GRANDE
via Roberto Lepetit 33, Milano
www.ostellobello.com

2 • Albergo Rosa Grand Milano •
piazza Fontana 3, Milano
www.albergorosa.com

3 | Milano Centrale B&B
| VIA GIULIO E CORRADO VENINI 37, MILANO

4 *Oasi San Francesco*
via Arzaga 23, Milano
» www.oasiaccoglienza.it

a

È una casa di ospitalità religiosa e non un vero albergo.
Negli spazi comuni, è presente il collegamento a internet.
Ci sono oltre 150 camere con bagno privato. Il bar è aperto la mattina
dalle 8:00 alle 10:00. Il pranzo è con menù fisso alle 12:45.
Nell'Oasi c'è una cappella interna per la preghiera. Accesso disabili.

camera singola   34,00 €
camera doppia   60,00 €
camera tripla   90,00 €

b

Ha 198 posti letto in stanze private da una, due o tre persone
e stanze in condivisione da quattro, cinque o sei persone.
Camere con bagno privato (con doccia), aria condizionata e internet
gratuito. Colazione a buffet inclusa e bar aperto 24 ore. Piscina.
Sale comuni con TV, DVD, videogiochi, ping pong e strumenti musicali.
Gli animali sono benvenuti.

camera singola   120,00 €
camera doppia   100,00 €
camera tripla   125,00 €
dormitorio 6 letti   37,00 €

c

Ha quattro camere (tutte con frigobar), da uno a tre posti letto
con macchina del caffè e del tè, internet gratuito e aria condizionata.
I bagni sono privati o in comune. L'ambiente è tranquillo ed è possibile
utilizzare un bel patio con molte piante. Gli animali non sono ammessi.
È disponibile un parcheggio privato. Camere da uno a tre posti letto
e matrimoniali con prezzo che va da 130 a 170 euro a notte.

2 PARLIAMO | Viaggio a Milano

a. *You are planning to spend three days in Milan. Which accommodation from activity* 1 *do you prefer? Why?*

Preferisco _____ perchè:

○ non è caro.

○ è tranquillo.

○ ha il parcheggio.

○ è possibile portare animali.

○ ha il ristorante.

○ (altro) _____

b. *Compare your answers with those of your partner, as in the examples.*

> Esempio:
> ■ Io preferisco l'ostello. E tu?
> ● Io invece preferisco l'Oasi San Francesco.
>
> ▼ Io preferisco il B&B. E tu?
> ◆ Anch'io.
> ▼ Ah, bene. E perché?
> ◆ Perché…

3 LETTURA | E-mail all'albergo • WB 4 / 5

Read the e-mail and match the photographs with corresponding words in the text, as in the example.

Da: m.gioberti@gmail.com   A: info@hotelpalazzo.com

Salve,

ho prenotato tramite booking.com due camere singole nel vostro albergo dal 27 agosto al 4 settembre (numero di prenotazione: 818974641). Vi scrivo per avere qualche informazione e fare alcune richieste.

Entro che ora dobbiamo lasciare le camere il 4 settembre? Possiamo lasciare le valigie alla reception fino alle 6:00 di sera? Se possibile, vogliamo passare la giornata in spiaggia prima di tornare a Milano.

Leggo sulla prenotazione che la colazione è inclusa nel prezzo della camera: potete darci qualche informazione su che cosa servite per colazione?

Vedo che i cani sono ammessi nel vostro albergo. Possono accedere anche all'area intorno alla piscina? Dobbiamo pagare un extra per il cane?

Se è possibile, la mia amica può avere una camera con il balcone?

Posso pagare con l'American Express o devo utilizzare la stessa carta di credito usata per la prenotazione su booking.com?

Cordiali saluti,
Marilena Gioberti

4 RIFLETTIAMO | Verbi modali • WB 6 / 7 / 8 / 9

a. *Read the previous e-mail again and find the verbs indicated in the table below. Then match the infitive forms with their English translation.*

can   must / have to   want

	dovere (significa _____)	potere (significa _____)	volere (significa _____)
io	devo	posso	voglio
tu	devi	puoi	vuoi
lui / lei / Lei	deve	può	vuole
noi	dobbiamo	possiamo	vogliamo
voi	dovete	potete	volete
loro	devono	possono	vogliono

b. *As shown in the e-mail, these verbs are often followed by* _____

5 ESERCIZIO ORALE | Filetto dei verbi modali • WB 10 / 11

*Work with a partner: one of you is **Student** A, the other **Student** B. One student chooses a colored box and then throws the dice: he / she must make up a sentence conjugating the verb in the box (**dovere**, **potere** or **volere**) and using the person indicated by the dice (see chart below). If the sentence is correct, he / she marks that box with a letter ("X" for **Student** A, "O" for **Student** B). Then **Student** B throws the dice and makes a sentence, too. Marked boxes cannot be used anymore. The goal is to mark three boxes in a full row (horizontally, vertically or diagonally).*

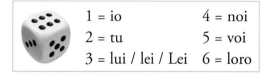

1 = io   4 = noi
2 = tu   5 = voi
3 = lui / lei / Lei   6 = loro

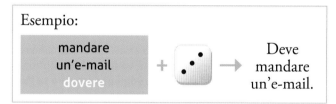

Esempio:

mandare un'e-mail
dovere

+ → Deve mandare un'e-mail.

pagare con carta di credito **potere**	pagare un extra per il cane **dovere**	una camera con il balcone **volere**	avere un documento di identità **dovere**
lasciare la stanza entro le 11:00 **dovere**	tornare in questo albergo **volere**	portare il cane in piscina **potere**	lasciare la valigia alla reception **potere**
parlare con il direttore **volere**	avere una camera singola **potere**	arrivare entro mezzanotte **dovere**	una camera con l'aria condizionata **volere**
prenotare online **potere**	cambiare stanza **volere**	prenotare una stanza **dovere**	fare colazione entro le 10:00 **potere**

6 COMBINAZIONI | Verbi modali

ATTIVITÀ
DI SCRITTURA 1
go to page 107

Form as many sentences as you can, as in the example.

❶ Scusi,	vuole prenotare	quanto viene la stanza?
❷ La signora	possono lasciare	la stanza entro le 10:00.
❸ I clienti	deve fare	la prenotazione.
❹ (voi)	posso sapere	una camera per due notti.
❺ Il signore	dobbiamo mandare	in macchina.
❻ (noi)	voglio viaggiare	verso le 9:00.
❼ Per la conferma noi	vogliamo arrivare	le valigie alla reception.
❽ (io)	dovete lasciare	un'e-mail.

7 ASCOLTO | *Ho un problema con la stanza.*   26 ((▶

a. *Close the book, listen to the recording, then work with a partner and share information on the conversation.*

b. *Listen to the phone call again and complete the sentences choosing the correct option(s).*

❶   Il signore è nella stanza

ⓐ◯ doppia   ⓓ◯ numero 330.

ⓑ◯ singola   ⓔ◯ numero 430.

ⓒ◯ matrimoniale   ⓕ◯ numero 530.

❷   Il signore resta in albergo

ⓐ◯ fino a domenica.

ⓑ◯ fino a domani.

ⓒ◯ fino a dopodomani.

❸   Nella stanza del signore l'aria condizionata

ⓐ◯ va solo al massimo.

ⓑ◯ va solo al minimo.

ⓒ◯ non funziona.

❹   Il portiere dell'albergo manda un tecnico

ⓐ◯ stasera.

ⓑ◯ domani mattina.

ⓒ◯ domani pomeriggio.

❺   Nella camera del signore il televisore

ⓐ◯ non funziona.

ⓑ◯ si sente, ma si vede male.

ⓒ◯ si vede bene, ma si sente male.

❻   Al signore non piace la sua stanza perché è

ⓐ◯ piccola.

ⓑ◯ rumorosa.

ⓒ◯ buia.

❼   Il signore stasera

ⓐ◯ resta nella sua camera.

ⓑ◯ va in un'altra stanza matrimoniale.

ⓒ◯ va in una stanza doppia.

❽   Domani a mezzogiorno il signore, per cambiare stanza,

ⓐ◯ deve tornare in albergo.

ⓑ◯ non deve tornare in albergo.

ieri: yesterday	**stamattina:** this morning	**domani mattina / domattina:**
oggi: today	**oggi pomeriggio:** this afternoon	tomorrow morning
domani: tomorrow	**stasera:** tonight	**domani pomeriggio:** tomorrow afternoon
dopodomani: the day after tomorrow	**stanotte:** tonight	**domani sera:** tomorrow evening / night
		domani notte: tomorrow night

8 COMBINAZIONI | *Che cos'è?* · WB 12 / 13

Match the words below with the corresponding pictures, as in the examples. Ask the teacher for the meaning of any unknown words.

1 ◯ l'armadio   **6** ◯ il tavolo   **10** ◯ la coperta
2 ◯ la lampada   **7** ◯ la carta igienica **11** ◯ la valigia
3 ◯ la sedia   **8** *m* il phon   **12** ◯ il cuscino
4 ◯ l'asciugamano   **9** *n* il termosifone   **13** ◯ la saponetta
5 ◯ il letto

9 GIOCHIAMO | *Che cosa c'è?*

Look at the picture for 30 seconds, then close the book. What is there in the room? Do you remember the names of the objects in Italian?

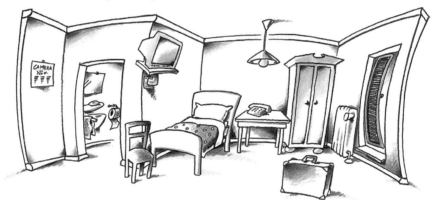

10 RIFLETTIAMO | *Bene e male* · WB 14 / 15

Look at the following sentences taken from the conversation of activity 7 *and focus on* **highlighted** *words* **bene** *and* **male**. *Then work with a partner and together complete the rule below.*

l'aria condizionata non funziona **bene**	la televisione è rotta, si vede **bene**, ma si sente **male**	ho paura di dormire **male**

1 In these sentences **bene** and **male** refer to
  adjectives. **a** ◯
  nouns. **b** ◯
  verbs. **c** ◯

2 **Bene** and **male** are
  adjectives. **a** ◯
  adverbs. **b** ◯
  nouns. **c** ◯

11 COMBINAZIONI | *Problemi, problemi...* • WB 16 / 17

Look at the following pictures: what would you say in Italian in these circumstances?
Combine sentence parts as in the example.

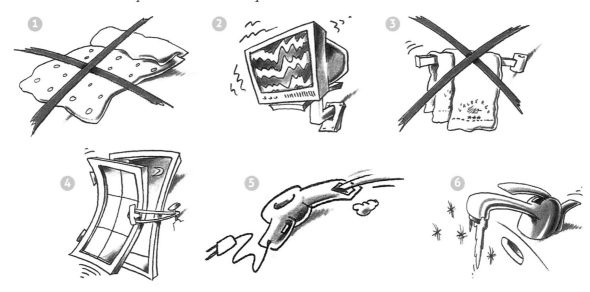

1 ⓐ Posso avere   ⓐ un'altra coperta?
2 ◯ La televisione   ⓑ gli asciugamani.
3 ◯ Nel bagno non ci sono   ⓒ avere un phon?
4 ◯ Non è possibile   ⓓ l'acqua calda.
5 ◯ È possibile   ⓔ chiudere bene la finestra.
6 ◯ Non c'è   ⓕ non funziona.

12 PARLIAMO | Un cliente scontento

Work with a partner. **Student** A *is the customer.*
Student B *is the receptionist.*
Something is missing or does not work in A*'s room.*

ATTIVITÀ
DI SCRITTURA 2
go to page 107

13 TRASCRIZIONE | Chiedere e dare informazioni   27 ◖◗

Listen to a part of the conversation of activity 7 *and complete the following transcription.*

● Ma a che ora _____ tornare _____ _____
per andare nella _____ stanza?

■ _____ _____ è pronta a _____,
ma se _____ restare fuori, _____ preparare le _____
e pensiamo _____ a _____.

● Ah, perfetto. E un'ultima cosa, _____, a che ora _____ lasciare
_____ _____ _____?

■ Entro _____ _____.

14 ESERCIZIO ORALE | Verbi modali

Work with a partner. Repeat the following conversation changing the subject, as in the example. Then switch roles.

Noi Voi

♦ A che ora dobbiamo tornare in albergo?
■ A mezzogiorno, ma se volete restare in giro, potete preparare le valigie.

Esempio: Io Tu

♦ A che ora devo tornare in albergo?
■ A mezzogiorno, ma se vuoi restare in giro puoi preparare le valigie.

a Loro Loro   c Lei (formale) Io   e Io Lei (formale)
b Lui Lui   d Voi Noi   f Tu Io

15 ASCOLTO | *A che ora?*   28

Listen to the recording and complete the following conversations with the times. Then match them with the corresponding pictures.

1 ■ Scusi, a che ora parte il prossimo autobus per Montecassino?
● All'_____

2 ■ Quando arriva il treno da Perugia?
● Alle _____

3 ■ A che ora comincia l'ultimo spettacolo?
● Alle _____

4 ■ A che ora chiude il museo?
● A _____

a

b

c

d

16 RIFLETTIAMO | *A che ora?* · WB 18 / 19

Complete the tables below with the times from activity 15.

a	_____ mezzanotte
all' (= a + l')	_____
alle (= a + le)	due tre sei nove _____

Preposition **a** combines with definite articles							
	+ il	+ lo	+ la	+ l'	+ i	+ gli	+ le
a	al	allo	alla	all'	ai	agli	alle

17 ESERCIZIO ORALE | *E da voi?* · WB 20 / 21 / 22 / 23

In small groups compare these opening hours with those in your country. Are there any differences?

BIBLIOTECA NAZIONALE
DI ROMA

dal lunedì
al venerdì
8.30 – 19.00

sabato
8.30 – 13.30

**ORARIO
FARMACIA**

mattina
ore 8.30 – 12.15

pomeriggio
ore 15.30 – 19.15

BANCA di SIENA
orario di sportello

dal lunedì al venerdì
08.00 – 13.00
14.30 – 16.00

sabato chiuso

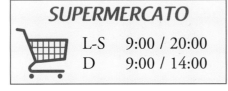

SUPERMERCATO

L-S   9:00 / 20:00
D   9:00 / 14:00

Ufficio Postale

orario d'apertura
lun. – ven. 8:30 – 13:30
sab. 8:30 – 12:15

18 LESSICO | I mesi

*Read the following hotel description, look for the names of months
in Italian and insert them in the table on the right.*

Hotel Centrale Napoli ✳✳✳		
tariffe per le camere	bassa stagione dal 7 gennaio al 31 maggio dal primo settembre al 20 dicembre	alta stagione dal primo giugno al 31 agosto dal 21 dicembre al 6 gennaio
singola	80 €	120 €
matrimoniale	120 €	150 €
tripla	140 €	170 €

Nel prezzo delle stanze sono compresi la colazione e il parcheggio custodito per le auto.
Si accettano tutte le carte di credito.

I mesi
1. _____
2. febbraio
3. marzo
4. aprile
5. _____
6. _____
7. luglio
8. _____
9. _____
10. ottobre
11. novembre
12. _____

19 ESERCIZIO ORALE | Le stagioni • WB 24

Match with each season places to go on vacation and activities that you can do there. Then interview a partner. Discuss what you like to do at the different times of the year, as in the example.

Dove vai?	Attività	
al mare	fare fotografie	passeggiare
in campagna	fare snowboard	prendere il sole
in montagna	fare spese	sciare
in campeggio	fare surf	visitare musei
a Roma	fare trekking	
a New York	fare una passeggiata	
in Australia	mangiare al ristorante	
in Messico	nuotare	

Esempio:
■ Dove vai in vacanza in inverno?
▼ Vado in montagna.
■ E cosa fai?
▼ Scio e faccio snowboard. E tu?
■ Io...

20 LETTURA | *Finalmente un po' di vacanza*

Complete the chat between two friends, Luigi and Gabriele, as in the example. The sentences on the left are in order.

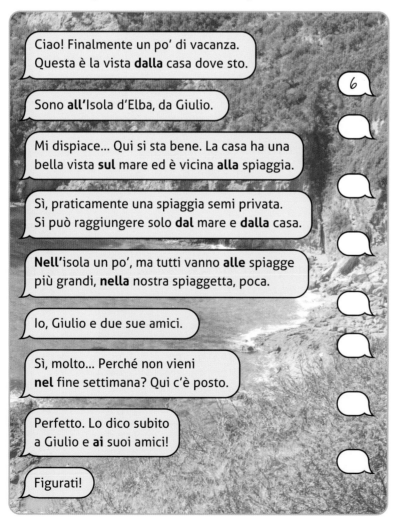

Ciao! Finalmente un po' di vacanza.
Questa è la vista **dalla** casa dove sto. — 6

Sono **all'**Isola d'Elba, da Giulio.

Mi dispiace... Qui si sta bene. La casa ha una bella vista **sul** mare ed è vicina **alla** spiaggia.

Sì, praticamente una spiaggia semi privata.
Si può raggiungere solo **dal** mare e **dalla** casa.

Nell'isola un po', ma tutti vanno **alle** spiagge più grandi, **nella** nostra spiaggetta, poca.

Io, Giulio e due sue amici.

Sì, molto... Perché non vieni **nel** fine settimana? Qui c'è posto.

Perfetto. Lo dico subito a Giulio e **ai** suoi amici!

Figurati!

1 Fantastico! Senti, c'è molta gente?

2 Ma dai! E è una bella spiaggia?

3 E in casa quanti siete?

4 Simpatici?

5 Che fortuna: io, ancora **nel** caos **della** città!

✔ 6 Che bello! Dove sei?

7 Grazie mille!

8 Volentieri, grazie! Posso arrivare anche venerdì, ho ancora **dei** giorni di ferie.

21 RIFLETTIAMO | Preposizioni articolate

a. *In the previous chat find the prepositions **a**, **da**, **di**, and **in** used in combination with the definite articles and insert them in the table below, as in the example.*

	+ il	+ lo	+ la	+ l'	+ i	+ gli	+ le
a							
da			dalla				
di							
in							
su							

Esempio:
Questa è la vista **dalla** casa…
(da + la)

ATTIVITÀ DI SCRITTURA 3
go to page 107

b. *Work with a partner. Complete the previous table with the missing prepositions.*

22 ASCOLTO | In vacanza, ma non in albergo • WB 25   29

a. *Close the book, listen to the recording, then work with a partner and share information on the conversation.*

b. *Which of the following things will the caller have if she rents the apartment?*

a ○ letto singolo

b ○ letto a castello

c ○ letto matrimoniale

d ○ terrazza

e ○ balcone

f ○ biciclette

g ○ posto auto

h ○ aria condizionata

i ○ lavatrice

l ○ lavastoviglie

m ○ televisione

n ○ frigorifero

c. *Listen to the phone call again and take note of the information that the caller and the owner of the apartment get from each other.*

VERBI MODALI – MODAL VERBS

*Modal verbs **dovere** (must / have to), **potere** (can) and **volere** (want) are often followed by infinitives. They all have irregular forms in the present tense.*

Devo lavorare tutto il fine settimana.
Non **possiamo** venire a cena domani sera.
Nicola **vuole** comprare una casa a Venezia.

	dovere	potere	volere
io	devo	posso	voglio
tu	devi	puoi	vuoi
lui / lei / Lei	deve	può	vuole
noi	dobbiamo	possiamo	vogliamo
voi	dovete	potete	volete
loro	devono	possono	vogliono

AVVERBI – ADVERBS: *BENE* AND *MALE*

*Adverbs are words that are used with a verb or adjective and help define how, when, or where an action takes place. The adverbs **bene** (well) and **male** (bad / badly) indicate the manner in which an action is completed. They usually refer to verbs. They are the adverbial forms of adjectives **buono** (good) and **cattivo** (bad), which refer to nouns.*

adjective: Questo vino è **buono**.
adverb: Rosa parla **bene** inglese.
adjective: Questo gelato è **cattivo**, non mi piace.
adverb: Quando non sono a casa mia, dormo **male**.

PREPOSIZIONI ARTICOLATE – COMPOUND PREPOSITIONS

*Prepositions **di, a, da, in, su** can combine with definite articles and form a single word.*

Vieni **al** cinema domani sera?
Non conosco gli orari **dei** negozi in Italia.
Lavoro **dalle** 9:00 **alle** 17:00, **dal** lunedì **al** venerdì.
Nel libro ci sono molti esercizi.
Voglio comprare un libro **sulla** storia italiana.

	+ il	+ lo	+ l'	+ la	+ i	+ gli	+ le
di	del	dello	dell'	della	dei	degli	delle
a	al	allo	all'	alla	ai	agli	alle
da	dal	dallo	dall'	dalla	dai	dagli	dalle
in	nel	nello	nell'	nella	nei	negli	nelle
su	sul	sullo	sull'	sulla	sui	sugli	sulle

LA PREPOSIZIONE *A* – PREPOSITION *A*

Indicates the place where one is or where one is going.	Sono **a** Firenze. / **al** cinema. / **a** scuola. Vado
Indicates the distance required to reach a place.	La casa è **a** 50 metri dal mare.
Introduces an indirect object.	Scrivo **a** mia madre. Ha telefonato **a** Antonio.
Indicates what time something happens.	Vanno in ufficio **alle** 9:00.
Indicates the end of a period of time.	Lavoro dal lunedì **al** sabato. Andiamo al mare da giugno **a** settembre.
Indicates how something is prepared.	Tè **al** limone. Spaghetti **al** pomodoro.
Is used in combination with some verbs.	Adesso comincio **a** studiare. / Vado **a** lavorare in bici. Mio fratello mi aiuta **a** studiare.

ATTIVITÀ DI SCRITTURA · WRITING ACTIVITIES

1   Informazioni su un albergo

Write an e-mail to one of the hotel properties from activity **1** *(page 96) and ask for further information on accommodations and anything else that you may want to know.*

2   Una recensione

You are spending the weekend at **Milano centrale B&B** *(page 96). Write a review on this bed-and-breakfast, highlighting both its positive and negative aspects, if any. Use the information provided on the features of this B&B, and also the images on page 101 to get an idea of any issues or concerns that may need to be addressed.*

3   Guardate dove sono!

You are enjoying a short vacation in your favourite place.
Post a message on a social media in which you describe how it is going.
Use at least two different modal verbs.

_____	
_____	
_____	
_____	
_____	
_____	
_____	
_____	
74	15 commenti

TYPES OF ACCOMODATION

albergo (m.)	hotel
ostello (m.)	hostel
B&B (m.)	B&B
pensione (f.)	pension
appartamento (m.)	apartment
campeggio (m.)	camping

IN THE HOTEL

internet (m.)	internet	**balcone** (m.)	balcony
accesso disabili (m.)	disabled access	**terrazza** (f.)	terrace
aria condizionata (f.)	air conditioning	**reception** (f.)	reception
colazione inclusa (f.)	breakfast included	**prenotazione** (f.)	reservation
sala comune (f.)	common room	**portiere/a** (m./f.)	porter
parcheggio privato (m.)	private parking	**tecnico/a** (m./f.)	technician

TYPES OF HOTEL ROOMS

camera / stanza singola (f.)	single room
camera / stanza doppia (f.)	double room (with a double bed or two single beds)
camera / stanza matrimoniale (f.)	double room (with a double bed)
camera / stanza tripla (f.)	triple room
camera / stanza con bagno privato (f.)	room with private bathroom
camera / stanza con bagno in comune (f.)	room with shared bathroom
camera / stanza per non fumatori (f.)	non-smoking room
dormitorio (m.)	dormitory

MONTHS

gennaio (m.)	January
febbraio (m.)	February
marzo (m.)	March
aprile (m.)	April
maggio (m.)	May
giugno (m.)	June
luglio (m.)	July
agosto (m.)	August
settembre (m.)	September
ottobre (m.)	October
novembre (m.)	November
dicembre (m.)	December

OBJECTS

armadio (m.)	wardrobe	**valigia** (f.)	suitcase
lampada (f.)	lamp	**cuscino** (m.)	pillow
sedia (f.)	chair	**saponetta** (f.)	bar of soap
asciugamano (m.)	towel	**frigobar** (m.)	mini-bar
tavolo (m.)	table	**frigorifero** (m.)	fridge
carta igienica (f.)	toilet paper	**letto singolo** (m.)	single bed
phon (m.)	hairdryer	**letto matrimoniale** (m.)	double bed
termosifone (m.)	radiator	**letto a castello** (m.)	bunk bed
coperta (f.)	blanket		

HOLIDAY ACTIVITIES

fare fotografie	to take pictures
fare snowboard	to do snowboard
fare spese	to go shopping
fare trekking	to go trekking
fare una passeggiata	to take a walk
visitare musei	to visit museums
mangiare al ristorante	to eat at the restaurant
prendere il sole	to sunbath
nuotare	to swim
fare surf	to surf
sciare	to ski

SEASONS

primavera (f.)	spring
estate (f.)	summer
autunno (m.)	fall
inverno (m.)	winter

PLACES TO GO ON VACATION

al mare	to the seaside
in campagna	to the countryside
in montagna	to the mountains

USEFUL SENTENCES AND EXPRESSIONS

Quanto viene una camera singola?	How much is a single room?
Non c'è l'acqua calda.	There is no hot water.
La televisione è rotta.	The television is broken.
L'aria condizionata non funziona bene.	The air conditioning is not working properly.
Posso avere un'altra coperta?	Can I have another blanket?
A che ora dobbiamo lasciare la stanza?	What time do we have to leave the room?
Devo pagare un extra per il cane?	Do I have to pay extra for the dog?
Posso lasciare le valigie alla reception?	Can I leave my luggage at the reception?
Cordiali saluti.	Best regards.

TIME INDICATORS

ieri	yesterday
oggi	today
domani	tomorrow
dopodomani	the day after tomorrow
stamattina	this morning
oggi pomeriggio	this afternoon
stasera	tonight
stanotte	tonight

MANCIA E SCONTRINO: CHE COSA SONO?

1 *Complete the following texts with the sentences in the list.*

1 In Italia nessuno chiede la mancia,   **2** È quel piccolo pezzo di carta

3 Non esce. Aspetta.   **4** quelle monete sono per i baristi e le bariste.

---

a La mancia

Siete in un albergo, prendete la chiave alla reception; un ragazzo prende la vostra valigia. Arrivate alla camera, il ragazzo mette la valigia dentro la stanza. _____ Che cosa?

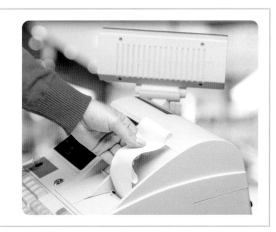

La mancia, naturalmente. Quanto? Qualche euro può andare bene (dipende anche dalla categoria dell'albergo).

Più tardi, avete fame. Decidete di andare al ristorante.

La cameriera è gentile, veloce, brava. Alla fine, mentre pagate, pensate: "Devo lasciare la mancia?".

_____ ma tutti la accettano con piacere. Anche nei bar? Di solito la mancia è per i camerieri che servono ai tavoli, ma a volte nei bar potete trovare un piccolo piatto con delle monete.

Potete mettere qualche centesimo, se volete: _____ .

---

b Lo scontrino

Gli italiani prendono il caffè o il cappuccino al bar, in piedi e velocemente. Ma prima di consumare devono fare lo scontrino alla cassa.

Che cos'è lo scontrino? _____ che ricevete al momento di pagare: quindi prima pagate, poi prendete lo scontrino, infine mettete lo scontrino sul bancone del bar e chiedete cosa volete.

Strano? Forse, ma in Italia è una cosa normale.

---

2 *Do you usually leave a tip in bars, restaurants and hotels in your country?*
Does tipping differ from what you now know about Italy?

Episodio 6: IN VACANZA

1 *Before watching the episode, match each of the following sentences with the corresponding frame.*
Then watch the video and check your answers.

Abbiamo una camera grande, luminosa! | Sì, c'è una camera libera?

① | ②

2 *Watch the episode again, then indicate who mentions what.*

	Laura	Federico			Laura	Federico
① camera grande	○	○	⑤ due bagni	○	○
② terzo piano	○	○	⑥ piscina	○	○
③ vasca con l'idromassaggio	○	○	⑦ vista sul mare	○	○
④ panorama bellissimo	○	○	⑧ giardino	○	○

3 *Look at the above mentioned things again and focus on what Federico says: when is he telling the truth,*
when is he lying?

4 *Watch the first part of the episode again (from 0'50" to 01'40") and then imagine what the hotel manager*
might be saying to Federico on the phone.

■ Pronto? Senta, per quell'offerta sul vostro sito…
▼ _____

■ Sì, c'è una camera libera?
▼ _____

■ Eh, una doppia…
▼ _____

■ Benissimo.
▼ _____

■ Allora prenoto per la settimana dal 10 al 17.
▼ _____

■ Sì, sì. Ma dobbiamo pagare subito?
▼ _____

■ Ah, ok… Ma… È proprio sicuro, solo 245
euro per due persone e per l'intera settimana?
▼ _____

■ Colazione compresa?
▼ _____

■ Ah, va bene. Be', perfetto. Allora grazie.
Buona giornata!
▼ _____

UN FINE SETTIMANA

In this unit you will learn how to:
- understand travel brochures
- talk about past actions and understand descriptions of past events
- specify when a past event took place
- ask for and provide information on means of transport, prices and time

listen to
the recordings
of unit 7

Select the activities you do during the weekend.

- Andare al cinema o a teatro
- Cenare al ristorante o a casa di amici
- Andare in discoteca
- Visitare un museo
- Fare trekking nella natura
- Fare sport
- (altro) _____

Then compare your list with a partner's.

7 UN FINE SETTIMANA

1 LETTURA | Tante idee per il fine settimana · WB 1

a. *Read the following travel brochures and match them with the photographs on the previous page. Please note that two photographs do not correspond to any brochure.*

a **Toscana: da Pisa a Livorno**
due giorni in Vespa per scoprire la costa e la campagna toscana – visita a due fattorie per degustazione di cibo e vino locale – pernottamento in hotel 3 stelle

b **Corvara**
escursioni sulle Dolomiti con guida alpina – livello di difficoltà medio – mezza pensione in albergo a gestione familiare – cucina tipica – possibilità di escursioni a cavallo

c **Sicilia**
crociere in barca a vela da venerdì pomeriggio a domenica pomeriggio – partenze da Palermo con minimo 4 partecipanti – a bordo skipper e cuoco – soste per bagni e immersioni

d **Lombardia in bici**
da Milano a Milano con soste e visite guidate a Pavia e Parma – tappe giornaliere di circa 40 km su strade con poco traffico – sistemazione in ostello – cena in trattoria

e **Assisi**
fine settimana di yoga e meditazione in convento – cucina vegetariana e vegana – passeggiate in montagna e nei dintorni – a scelta corsi di musica e danza indiana

f **Venezia**
in albergo 2 stelle – il pacchetto per il fine settimana include: prima colazione e una cena (menù proposto dal nostro chef) – un biglietto di 24 ore per visitare 4 musei a scelta – parcheggio privato gratuito

b. *Among the above mentioned travel options find the ideal vacation for someone who:*

1. è molto sportivo e ama la buona cucina.
2. va volentieri in montagna.
3. è stressato, odia i posti dove c'è molta gente e ama il silenzio e la natura.
4. ama il mare e gli sport acquatici.
5. non è molto sportivo, ma ama la natura e il buon vino.
6. ama l'arte e la cucina raffinata.

More than one correct answer is possible. Compare your answers with a partner's.

2 PARLIAMO | Un fine settimana a...

Which of the above mentioned travel options would you prefer for a free weekend? Why? Discuss your choice with a partner.

3 LETTURA | Consigli di viaggio • WB 2

a. *Read the following post from a travel blog, and then write the correct* **highlighted** *word or expression under each picture, as in the example.*

Camminare a Venezia • Daniela D.

Lo scorso fine settimana sono tornata a Venezia con Giulio, il mio ragazzo. Siamo partiti da Milano sabato mattina presto (in treno sono circa 2 ore e mezzo) e, appena siamo arrivati, abbiamo attraversato il **ponte di vetro dell'architetto Calatrava**, vicino alla stazione: a me è piaciuto tantissimo, ma Giulio ha trovato il ponte troppo moderno per una città così antica. Poi siamo andati in giro per la città: i vicoli deserti e senza macchine, i **canali**... tutto bellissimo! Abbiamo camminato un po' e poi abbiamo continuato la visita su un **vaporetto**, per vedere la città dal mare.

La sera siamo stati a cena in un "bacaro" (una tipica osteria veneziana): solo **piatti di pesce**, tavoli all'aperto, atmosfera informale e molto piacevole. Domenica abbiamo fatto un altro giro per il centro storico, ma poi improvvisamente è arrivato un temporale molto forte. Per trovare riparo dalla pioggia e dal vento, siamo entrati nella **Basilica di San Marco**, un posto magico e misterioso. Quando il temporale è finito, nel pomeriggio siamo tornati a Milano e... abbiamo trovato un sole splendido! Non ho avuto molta fortuna con il tempo, ma è stato un bel fine settimana: Venezia è sempre speciale!

vaporetto

b. *Look at the following pictures: which one does not correspond to the text that you have just read?*

❶◯  ❷◯  ❸◯  ❹◯

c. *Now match the previous pictures with the following sentences.*

ⓐ◯ Fa caldo! ⓑ◯ C'è vento!

ⓒ◯ Fa freddo! ⓓ◯ Piove!

Che tempo fa?	What's the weather like?
Fa bel tempo.	The weather is fine.
C'è il sole.	It's sunny.
Fa brutto tempo.	The weather is bad.
Nevica.	It's snowing.

4 RIFLETTIAMO | Il passato prossimo • WB 3 / 4

a. *Reread these sentences from the previous text.*

abbiamo continuato la visita su un vaporetto	il temporale è finito	Giulio ha trovato il ponte troppo moderno	Non ho avuto molta fortuna con il tempo, ma è stato un bel fine settimana...

In the blank next to each infinitive verb, write the form of the verb that you find in each of the sentences you have just read, as in the example below.

continuare → *abbiamo continuato*　　　avere → _____

finire → _____　　　essere → _____

trovare → _____

b. *To speak about past events or actions in Italian, one can use the* **passato prossimo**, *a verb tense consisting of two parts: the first word is called the auxiliary (***ausiliare***), while the second is the past participle (***participio passato***) of the main verb. Look at the examples from part* **a** *and complete the rule.*

To form the **passato prossimo**, it is possible to use two different auxiliary verbs. What are these?
present tense of verb _____ or _____ + past participle

The regular past participles of the verbs are:
continu**are** → continu_____　　　av**ere** → av_____　　　fin**ire** → fin_____

c. *Read the online post from activity* **3** *again and look for more* **passato prossimo** *verbs. Then complete the following table, as in the examples.*

verbi con l'ausiliare **essere**	passato prossimo
tornare	
partire	
arrivare	siamo arrivati
piacere	
andare	
stare	
arrivare	è arrivato
entrare	
finire	
tornare	
essere	è stato

verbi con l'ausiliare **avere**	passato prossimo
attraversare	
trovare	ha trovato
camminare	
continuare	
fare	abbiamo fatto
trovare	
avere	

d. *In some verbs, the past participle changes and agrees with the subject. What is their auxiliary?*

> **Participi irregolari**
> The **passato prossimo** of the verb **essere** is the same as that of the verb **stare**.
> The verb **fare** and the verb **piacere** have an irregular past participle, that is, they don't perfectly follow the conjugation patterns.
> essere → sono **stato**
> fare → ho **fatto**
> piacere → è **piaciuto**

5 COMBINAZIONI | Passato prossimo

Create some sentences, as in the example below.

1 ○	Il mese scorso Daniela è	**a**	piaciuto molto.
2 ○	Un temporale è	**b**	tornati a Milano domenica.
3 ○	A Giulio il ponte di Calatrava non è	**c**	cenato in un ristorante di pesce.
4 ○	La sera hanno	**d**	visitato la Basilica di San Marco.
5 ⓓ	Daniela e Giulio hanno	**e**	passato un bel fine settimana.
6 ○	Daniela e Giulio sono	**f**	arrivato improvvisamente.
7 ○	Daniela ha	**g**	tornata a Venezia.

6 ESERCIZIO SCRITTO | *Che cosa hanno fatto?*

*Match the pictures with the verbs in the table. Then work with a partner: together use these verbs and write sentences in the **passato prossimo**. You can use any subject pronoun and name, as in the example.*

> Esempio:
> Maria e Carlo **hanno ballato** il tango.

verbi con **avere**		verbi con **essere**
1 dormire	**5** giocare a tennis	**9** essere al mare
2 fare una passeggiata	**6** ascoltare la musica	**10** andare in bicicletta
3 fare la spesa	**7** giocare a carte	**11** partire
4 lavorare al computer	✔ **8** ballare	**12** andare al cinema

7 ESERCIZIO ORALE | *Che cosa hanno fatto?*

*Work with a partner. One student chooses one of the previously mentioned verbs, then throws the dice. The other student must conjugate that verb using the **passato prossimo** and the subject pronoun indicated by the number on the dice (see chart).*
If the number is even, you must use a feminine subject, if it is uneven, a masculine one. If the number is 3, you can choose either the feminine or the masculine form.

1 = io	4 = noi
2 = tu	5 = voi
3 = lui / lei / Lei	6 = loro

8 ESERCIZIO ORALE | *Che cosa hai fatto ieri?*

Work with a partner. One of you is Samuele and the other is Sofia. Taking turns, ask your partner what he / she did yesterday, using the time expressions from the list. To respond, use the actions related to your character.

Esempio:
- Sofia, che cosa hai fatto ieri pomeriggio?
- Ieri pomeriggio ho guardato la televisione.

ieri mattina | ieri sera | ieri pomeriggio

Sofia

Samuele

9 ESERCIZIO SCRITTO | Un fine settimana a...

Mario and Sara have taken a day trip to Florence. These are the images from Mario's blog. Write a sentence for each image, as in the example below.

il blog di Mario

un giorno a Firenze

1 2 3

4

_____

_____

_____

_____

Abbiamo visitato Ponte Vecchio! _____

_____

_____

1. stazione di Santa Maria Novella

2. Duomo

3. un gelato

4. mercato di San Lorenzo

5. Ponte Vecchio

6. strade del centro storico

7. trattoria tipica

ATTIVITÀ DI SCRITTURA 1
go to page 127

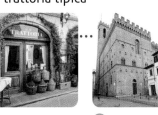  

7 6 5

10 ASCOLTO | Una domenica al lago   30 ((►

a. *Match the images with the correct verbs, as in the example below.*

1 prendere il sole

2 partire la mattina

3 fare il bagno

4 fare un giro in gommone

5 arrivare al lago

1 vedere un film

2 fare una passeggiata

3 fare colazione

4 leggere un libro

5 mettere in ordine la casa

b. *Close your book, listen to the conversation, and then work with a partner: compare the information that you gathered from the conversation.*

c. *The following sentences are taken from the dialogue you listened to. Determine which of these refer to the man's (M) weekend and which describe the woman's (W).*

M W

1 Abbiamo preso il sole tutto il giorno. ○ ○

2 Il pomeriggio ho letto un po'. ○ ○

3 Ho messo in ordine la casa. ○ ○

4 Abbiamo fatto subito il bagno. ○ ○

M W

5 Dopo è venuto Luca. ○ ○

6 Siamo arrivati lì verso le 9:00. ○ ○

7 Sono rimasta a casa tutto il giorno. ○ ○

8 È stata una giornata molto bella. ○ ○

9 Ho visto un film. ○ ○

11   RIFLETTIAMO | Participi irregolari · WB 5 / 6

a. *Read the previous sentences (activity **10 c**) again and find all **passato prossimo** forms of the infinitives indicated in the table below, as in the example.*

infinito	passato prossimo	infinito	passato prossimo
prendere	_____ _____		
leggere	_____ _____	venire	_____ _____
mettere	_____ _____	rimanere	_____ _____
fare	_____ _____	essere	_____ _____
vedere	*ho visto*		

b. *Past participles of verbs in the table above are* **a**○ *regular /* **b**○ *irregular.*

> **Altri participi irregolari**
> | | | | |
> |---|---|---|---|
> | aprire | → ho **aperto** | bere | → ho **bevuto** |
> | chiudere | → ho **chiuso** | dire | → ho **detto** |
> | nascere | → sono **nato/a** | rispondere | → ho **risposto** |
> | scrivere | → ho **scritto** | vivere | → ho **vissuto** |

c. *Verbs which express a state use the auxiliary **essere**:*

stare   → sono stato/a

restare   → sono restato/a

rimanere → sono rimasto/a

essere   → sono stato/a

*The auxiliary **essere** is also used with high frequency verbs which refer to movement.*
*Look at the sentences in activity **10 c** again, find the two verbs that express movement and write them in the table below, both in the **infinitive** and in the **passato prossimo** form.*

infinito	passato prossimo

> **Altri verbi di movimento che usano *essere***
> | | |
> |---|---|
> | andare | → **sono** andato/a |
> | tornare | → **sono** tornato/a |
> | entrare | → **sono** entrato/a |
> | uscire | → **sono** uscito/a |
> | partire | → **sono** partito/a |

12 ESERCIZIO SCRITTO | Participi irregolari

*Match the two columns and then rewrite the sentences using the **passato prossimo**.*

1○ mettere *(noi)*   **a** il giornale in spiaggia.

2○ fare *(tu)*   **b** il sole tutta la mattina.

3○ venire *(io)*   **c** in ordine la casa.

4○ prendere *(loro)*   **d** il bagno al lago?

5○ leggere *(lei)*   **e** in spiaggia presto.

1 _____

2 _____

3 _____

4 _____

5 _____

13 ESERCIZIO ORALE | Passato prossimo · WB 7 / 8 / 9

Work with a partner. Repeat the conversations below changing the subject pronouns, as in the example. Switch roles after each transformation.

[Voi (maschile)] [Noi]

✦ Siete partiti presto come al solito?
■ Sì, ma siamo arrivati lì verso le nove.
 Così abbiamo fatto subito il bagno
 e abbiamo preso il sole.

Esempio: [Tu (femminile)] [Io]

✦ Sei partita presto come al solito?
■ Sì, ma sono arrivata lì verso le nove.
 Così ho fatto subito il bagno
 e ho preso il sole.

1 [Loro (maschile)] [Loro]

2 [Lui] [Lui]

3 [Lei (formale)] [Io (maschile)]

4 [Voi (femminile)] [Noi]

5 [Lei] [Lei]

6 [Tu (maschile)] [Io]

When using the formal **Lei**, the **passato prossimo** can be masculine or feminine singular, depending on the gender of the person speaking.
*Signor Bianchi, dove è **andato** in vacanza?*
*Signora Franchi, a che ora è **partita**?*

14 ESERCIZIO ORALE E SCRITTO | *Che cosa hanno fatto?* • WB 10 / 11 / 12 / 13

*Work with a partner (**Student** A and **Student** B). **Student** A fills in the blue boxes, **Student** B the white boxes, writing sentences with the verbs in the list below (they must conjugate them in the **passato prossimo**). Then **Student** A asks a question (e.g.: **Che cosa hanno fatto Giorgia e Sara la mattina?**) and **Student** B answers using his / her sentence (e.g.: **Hanno letto il giornale.**). **Student** A writes the answer in his / her corresponding empty box. Then **Student** B asks a question and **Student** A answers, etc. When the table is complete, both students check all sentences together and make any necessary corrections.*

andare | leggere | fare | mangiare | visitare | vedere

giocare | rimanere | cucinare | studiare | stare | prendere

	Claudia	Giorgia e Sara	Piero	Lucia e Marco
la mattina				
il pomeriggio				
la sera				

15 ESERCIZIO ORALE | *Quando...?* • WB 14

Read these expressions. Ask your teacher about any words that you don't understand.

stamattina | prima della lezione | ieri | l'altro ieri | ieri sera | mai | giovedì scorso

due settimane fa | il mese scorso | la settimana scorsa | un anno fa | dopo la lezione

Now interview a classmate: take turns asking and answering using the above mentioned expressions (you may ask the teacher if you need other expressions), as in the example.

Esempio:
• mangiare una pizza
■ Quando hai mangiato una pizza?
● Ieri sera.

• fare una passeggiata
• vedere un film al cinema
• andare a sciare
• prendere un gelato
• leggere un libro
• fare una festa
• stare sveglio fino a tardi
• fare un esame
• visitare un museo
• scrivere un'e-mail
• dire una bugia
• prendere l'aereo
• vivere all'estero
• cenare in un ristorante
• rimanere a casa tutto il giorno

16 PARLIAMO | Un fine settimana

Imagine that you are one of your classmates. Using any non-personal information that you have on him / her, imagine what you did last weekend, where you went, etc. Next, interview another classmate and, from his / her answers, try to guess which student he / she chose. Then answer his / her own questions.

17 LETTURA | *Già, appena, non ancora*

a. *Read the online chat between Giulio and Carla and then fill in the missing words, as in the example below.*

✔ senti   allora   volentieri   certo

> Ciao Carla, per sabato hai già preso impegni?

> No. Non ho ancora fatto programmi.

> Andiamo allo stadio per il derby?

> _____. A che ora è la partita?

> Nel pomeriggio, alle 6:00.

> Ok! _____Senti_____, quanto costano i biglietti?

> Ho appena controllato il sito.
> Ci sono solo biglietti da 45 euro. Vanno bene?

> Sì, _____!

> Prendo io i biglietti?

> Ok, grazie. _____, a domani.

> The adverbs **appena** and **già** are used in very similar situations; however, we use **appena** when something has happened shortly before or when the action has just been completed, whereas **già** is used, more generally, for something that happened previously.
> **appena** = just / **già** = already

b. *Between the auxiliary and the past participle you may find the words **già**, **appena** and (in negative sentences) **ancora**. Work with a partner and answer the following questions.*

❶ Which word expresses an action which has just happened?

_____

❷ Which word expresses an action which has already happened?

_____

❸ Which word expresses an action which has not yet happened but will happen?

_____

18 **ESERCIZIO ORALE** | *Già, appena, non ancora* • WB 15 / 16

*Work with a partner. Improvise short conversations, using a different subject pronoun in every first question (**tu**, **lui**, **lei**, **voi**, **loro**), as in the examples.*

> Esempi:
> • guardare la TV
> ■ Hai già guardato la TV?
> ● No, non ho ancora guardato la TV.
>
> arrivare a scuola
> ■ Siete già arrivati/e scuola?
> ● Sì, siamo già / appena arrivati/e.

• finire i compiti	• visitare il Messico	• vedere il film
• preparare la cena	• partire per le vacanze	• leggere il libro
• telefonare ai genitori	• prendere l'autobus	• fare colazione
• mettere in ordine la stanza	• andare a teatro	• sentire le ultime notizie
• tornare a casa	• parlare con il professore	• essere in palestra

19 **ASCOLTO** | *Vorrei qualche informazione.*   31 ((▶

a. *Close the book, listen to the recording, then work with a partner and share information on the conversation.*

b. *Now listen to the recording again and select the correct option.*

❶ La ragazza vuole
    ⓐ◯ un biglietto per Napoli.
    ⓑ◯ un biglietto per Sperlonga.
    ⓒ◯ delle informazioni per Sperlonga.

❷ La ragazza vuole partire
    ⓐ◯ la mattina.
    ⓑ◯ il pomeriggio.

❸ La ragazza prende il treno da Roma delle ore
    ⓐ◯ 6:30.
    ⓑ◯ 7:15.
    ⓒ◯ 8:30.

❹ Il biglietto del treno da Roma a Fondi costa
    ⓐ◯ 8 euro.
    ⓑ◯ 8.90 euro.
    ⓒ◯ 90 euro.

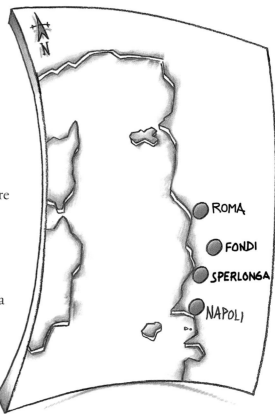

ATTIVITÀ DI SCRITTURA 2
go to page 127

20 RIFLETTIAMO | *Ci vuole, ci vogliono* • WB 17 / 18 31 🔊

a. *Now listen again to the conversation and <u>underline</u> the correct option.*

❶ Scusi quanto tempo **ci vuole / ci vogliono** con il treno?

❷ Mah, **ci vuole / ci vogliono** un'ora e mezzo.

❸ Va bene, e senta… Quanto tempo **ci vuole / ci vogliono** da Fondi a Sperlonga con il bus?

❹ Mah, **ci vuole / ci vogliono** trenta minuti.

b. *The expressions **ci vuole** and **ci vogliono** are used to express the time necessary to complete an action. They are the equivalent of **it takes**. Look at sentences **❷** and **❹**: which words do these expressions refer to?*

21 PARLIAMO | In un'agenzia di viaggi

*Work with a partner (**Student** A and **Student** B). **Student** A works in a tourist information center. **Student** B is a customer. Read your own instructions and improvise a conversation.*

Student A

Use the table below to provide the customer with required information.

DESTINAZIONE	ITINERARIO	ORARI	PREZZI		MEZZO
Elba	Milano – Elba	9:30 – 10:30 12:15 – 13:15	190 euro		aereo
Elba	Milano – Piombino	12:15 – 16:49 13:10 – 17:49	33,07 euro		treno
	Piombino – Elba	11:30 – 12:30 16:30 – 17:30	5 euro 19 euro	passeggero posto auto	traghetto

DESTINAZIONE	ITINERARIO	ORARI	PREZZI	MEZZO
Capri	Milano – Napoli	8:55 – 10:20 10:20 – 11:45	191 euro	aereo
	Napoli – Capri	10:00 – 10:40 12:00 – 12:40	5 euro	traghetto
Capri	Milano – Napoli	10:00 – 16:30 11:20 – 19:39	48,50 euro	treno
	Napoli – Capri	10:00 – 10:40	8,40 euro	traghetto

Student B

You are in Milan and you want to go to the beach to Capri Island or Elba Island, but you are still undecided.

You call the Tourist Information Center for information.

Ask the prices and times for departure and arrival.

How long does it take?

Use this map.

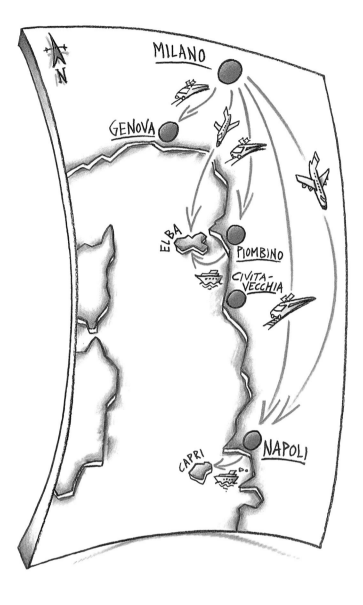

RIO MARINA, ISOLA D'ELBA

CAPRI

ATTIVITÀ DI SCRITTURA 3
go to page 127

PASSATO PROSSIMO

*Passato prossimo is a compound tense, i.e. it is formed by two words: the first is either **essere** or **avere** (the auxiliary, **ausiliare**) conjugated in the present tense, the second is the past participle (**participio passato**) of the verb.*

*Past participles of regular verbs ending in -**are** end in -**ato**; those of verbs ending in -**ere** end in -**uto**; those of verbs ending in -**ire** end in -**ito**.*
Many verbs have an irregular past participle.

Sono tornato a casa a mezzanotte.

ausiliare   participio passato

Abbiamo comprato un chilo di pane.

Participi passati regolari

mangi**are** → mangi**ato**
av**ere** → av**uto**
part**ire** → part**ito**

PARTICIPI PASSATI IRREGOLARI – IRREGULAR PAST PARTICIPLES

aprire	ho **aperto**	mettere	ho **messo**	rompere	ho **rotto**
bere	ho **bevuto**	morire	è **morto/a**	scegliere	ho **scelto**
chiedere	ho **chiesto**	nascere	è **nato/a**	scendere	sono **sceso/a**
chiudere	ho **chiuso**	offrire	ho **offerto**	scrivere	ho **scritto**
correre	ho **corso**	perdere	ho **perso**	sorridere	ho **sorriso**
decidere	ho **deciso**	piangere	ho **pianto**	spendere	ho **speso**
dire	ho **detto**	prendere	ho **preso**	succedere	è **successo/a**
discutere	ho **discusso**	promettere	ho **promesso**	vedere	ho **visto**
essere	sono **stato/a**	ridere	ho **riso**	venire	sono **venuto/a**
fare	ho **fatto**	rimanere	sono **rimasto/a**	vincere	ho **vinto**
leggere	ho **letto**	rispondere	ho **risposto**	vivere	ho **vissuto**

Ausiliare – Auxiliary: *avere* or *essere*?
*When the auxiliary is **avere**, the past participle does not change.*

*When the auxiliary is **essere**, the past participle agrees in gender and number with the subject.*

Avere is used with verbs which can be followed by a direct object (transitive verbs). The direct object is an element that is directly connected to a verb without the aid of a preposition; it answers the question: who? what?

Essere is used with many verbs which express:
• *movement: **andare, arrivare, entrare, partire, tornare, uscire, venire,***
• *state: **essere, stare, restare, rimanere,***
• *change: **crescere, diventare, nascere, morire.***

*The verb **piacere** also has **essere** as an auxiliary.*
Note: agreement occurs with the grammatical subject (the thing that pleases), not with the person who is pleased.

Daniela **ha** mangiato la pizza.
Daniela e Piero **hanno** mangiato la pizza.

Martina **è** andata a Genova.
Martina e Cristiano **sono** andati a Genova.

Hanno comprato (*che cosa?*) un libro.
Ho visto (*chi?*) Anna.

Elena **è andata** in Canada.
Ieri sera **siamo rimasti** a casa.
Giorgio **è nato** nel 1992.

La lezione di scienze mi **è piaciuta** molto.
Ti **sono piaciuti** i libri?

AVVERBI DI TEMPO – ADVERBS OF TIME

Adverbs of time ancora (in negative sentences), appena and già, when used in combination with a verb in the passato prossimo, are usually placed between the auxiliary and the past participle.

> **Non** avete **ancora** telefonato al medico?
> Sono **appena** tornata a casa.
> Abbiamo **già** fatto la spesa.

CI VUOLE / CI VOGLIONO

Volerci (volere + ci) is an idiomatic expression which has two meanings:
- *to need,*
- *to take.*

It is used mostly at third singular person and third plural person, depending on whether the noun following is singular or plural.

> Per scrivere **ci vuole** una penna.
> Per andare a Roma **ci vuole** un'ora.
>
> Per fare questa torta **ci vuole** <u>un'ora</u>.
> Per fare questa torta **ci vogliono** <u>tre uova</u>.

 ## ATTIVITÀ DI SCRITTURA · WRITING ACTIVITIES

1   Il mio weekend

Describe Stefano's weekend according to the information that you find in his agenda, and fill in the other details using your imagination, as in the example below.

Sabato	
10:00	spesa al mercato
17:00	cinema con Luigi
20:30	ristorante francese con amici

Domenica	
9:30	tennis con Rosa
13:00	pranzo a casa con Rosa e Giulio
16:30	passeggiata in città
19:00	concerto di musica jazz al Blue Note

Sabato mattina, alle 10:00 Marco ha fatto la spesa al mercato.
Ha comprato molti prodotti perché ama cucinare...

2   Un posto speciale

Imagine that you have a blog. Write a post on a weekend that you spent in a special place.

3   Informazioni turistiche

You are working in a tourist information center and you have to write to a client to describe two or three travel options from Milan to Capri or Elba. Use the formal address or register and the information that you find in activity 21, on page 124.

ON HOLIDAY

visita guidata (f.)	guided tour
fattoria (f.)	farm
degustazione (f.)	tasting
pernottamento (m.)	overnight stay
guida (turistica, alpina…) (f.)	(tourist, mountain…) guide
escursione (f.)	excursion
mezza pensione (f.)	half board
crociera (f.)	cruise
immersione (f.)	diving
barca a vela (f.)	sail boat
gommone (m.)	rubber boat
traghetto (m.)	ferry
sosta (f.)	stop
partecipante (m.)	participant
partenza (f.)	departure
biglietto (m.)	ticket
agenzia di viaggi (f.)	travel agency

PLACES

mare (m.)	sea, seaside
montagna (f.)	mountain
lago (m.)	lake
collina (f.)	hill, hills
campagna (f.)	countryside
isola (f.)	island
costa (f.)	cost

THE WEATHER

Che tempo fa?	What's the weather like?
Fa caldo.	It's hot.
Fa freddo.	It's cold.
C'è vento.	It's windy.
Piove.	It's raining.
Nevica.	It's snowing.
Fa bel tempo.	The weather is nice.
Fa brutto tempo.	The weather is bad.
temporale (m.)	storm
pioggia (f.)	rain
sole (m.)	sun

TIME INDICATORS

ieri	yesterday
l'altro ieri	the day before yesterday
ieri sera	last night
stamattina	this morning
giovedì scorso	last Thursday
il mese scorso	last month
due settimane fa	two weeks ago
un anno fa	a year ago
dopo la lezione	after class
prima della lezione	before class

ADVERBS

già	already
appena	just
mai	never
ancora	yet
improvvisamente	suddenly
subito	immediately

ACTIONS

fare il bagno	to take a swim, a bath
finire i compiti	to finish homework
preparare la cena	to prepare dinner
telefonare ai genitori	to call parents
partire per le vacanze	to leave for vacation
mettere in ordine la stanza	to tidy up the room
prendere l'autobus	to take the bus
sentire le ultime notizie	to listen to the latest news

USEFUL SENTENCES

Il pacchetto include…	The package includes…
Vorrei qualche informazione.	I would like some information.
Quanto tempo ci vuole con il treno?	How long does it take by train?
Ci vuole un'ora.	It takes one hour.

DOVE ANDIAMO IN VACANZA?

1 *Write the words in the list under their matching pictures, as in the example.*

(mare) (montagna) (lago) (collina) (✔ isola)

1	**2**	**3**	**4** isola	**5**

2 *Complete the text with the following words.*

(Capri) (Garda) (Monte Bianco) (Chianti) (Cinque Terre)

I turisti che visitano l'Italia possono scegliere tra molte opzioni: natura, spiagge, città d'arte, piccoli paesi antichi, teatri greci e romani, castelli medievali…

Mare   7500 chilometri di spiagge, alcune località marine famose in tutto il mondo: la costiera amalfitana in Campania, le _____ in Liguria e le spiagge della Sardegna.

Montagna Nella catena delle Alpi a nord troviamo il _____, 4807 metri.
La catena degli Appennini invece attraversa tutta l'Italia da nord a sud e non ha solo montagne, ma anche i due grandi vulcani italiani: il Vesuvio vicino a Napoli e l'Etna, ancora attivo, in Sicilia.

Lago   Tra i Paesi del Mediterraneo, l'Italia è quello con più laghi: famoso quello di _____, ma anche il lago di Como e il lago Maggiore attirano sempre turisti da tutto il mondo.

Collina   Il 42% del territorio italiano è in collina, dove si fa l'uva per i famosi vini italiani (come il _____). In collina si trovano anche molte città d'arte e borghi storici (per esempio San Gimignano, Arezzo) e castelli medievali come Castel del Monte, in Puglia.

Isole   La Sicilia (comprese le Eolie e le Egadi) e la Sardegna su tutte, ma anche l'isola d'Elba, _____, Ischia, Procida, Ponza, l'isola del Giglio: i mari più limpidi e le spiagge più famose sono sulle isole, veri paradisi.

watch the video

CHE COS'HAI FATTO TUTTO IL GIORNO?

1 *Look at the following frames. What do you think Laura and Valentina did Sunday?*

Laura

Valentina

2 *Make sentences in the **passato prossimo** matching words in the two columns below, then write them under the names of people portrayed in the previous frames.*

fare	una rivista
mettere	al ristorante
mangiare	in ordine
leggere	una gita

Laura

_____

_____

Valentina e Matteo

_____

_____

3 *Now watch the episode and indicate whether the following sentences are true or false.*

<table>
<tr><td></td><td>true</td><td>false</td></tr>
<tr><td>❶ Laura non ha fatto colazione.</td><td>○</td><td>○</td></tr>
<tr><td>❷ La giornata di Laura è iniziata presto.</td><td>○</td><td>○</td></tr>
<tr><td>❸ Laura ha messo in ordine il bagno.</td><td>○</td><td>○</td></tr>
<tr><td>❹ Laura ha letto una rivista e poi ha dormito.</td><td>○</td><td>○</td></tr>
<tr><td>❺ Valentina e Matteo sono andati in campagna con degli amici.</td><td>○</td><td>○</td></tr>
<tr><td>❻ Valentina e Matteo hanno mangiato in un ristorante costoso.</td><td>○</td><td>○</td></tr>
</table>

4 *Complete Laura's and Valentina's sentences conjugating verbs in brackets in the **passato prossimo**.*

❶ Laura: (*Io – Passare*) _____ la domenica a fare le pulizie e rimettere a posto la casa.

❷ Laura: Ma tu piuttosto, non (*andare*) _____ in campagna con Matteo?

❸ Valentina: … (*Noi – Mangiare*) _____ davvero male, e non solo:

(*noi – pagare*) _____ anche _____ tantissimo!

❹ Valentina: … Veramente non (*essere*) _____ proprio una gita rilassante!

❺ Laura: E come (*voi – tornare*) _____ indietro?

❻ Valentina: Be', (*noi – fare*) _____ l'autostop…

Insomma, (*noi – tornare*) _____ a casa solo poco fa…

VITA QUOTIDIANA

In this unit you will learn how to:
- describe one's work habits and working hours
- comment on someone else's lifestyle
- describe and ask about someone's daily routine
- congratulate someone on special occasions and public holidays
- say the date
- talk about public holidays
- write a greeting card

listen to
the recordings
of unit 8

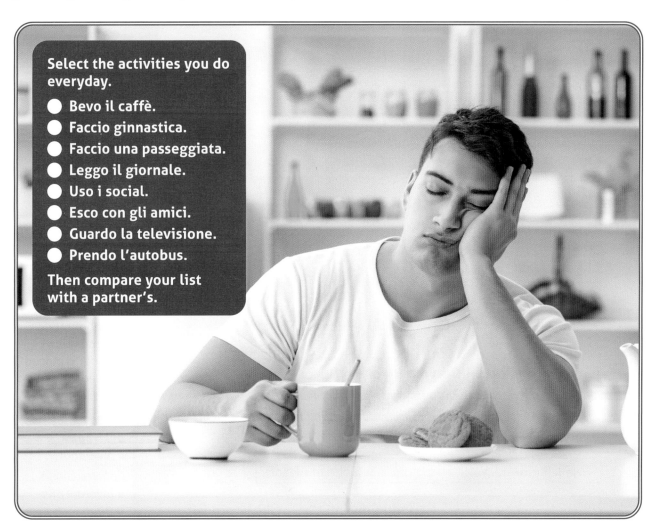

Select the activities you do everyday.

- Bevo il caffè.
- Faccio ginnastica.
- Faccio una passeggiata.
- Leggo il giornale.
- Uso i social.
- Esco con gli amici.
- Guardo la televisione.
- Prendo l'autobus.

Then compare your list with a partner's.

8 · VITA QUOTIDIANA

1 ESERCIZIO SCRITTO | Lavori e orari

Work with a partner and reconstruct sentences ❶, ❷ and ❹, putting the words into the correct order, as in the examples. Then match the five sentences with the photographs below. Several solutions are possible.

❶ _____ [a] [lavorare] [alle] [10:00] [Comincia]

❷ _____ [a] [di] [Finisce] [mezzanotte] [lavorare]

❸ A volte lavora anche la domenica. [anche] [la] [A] [domenica] [lavora] [volte]

❹ Lavora tutti i giorni dalle 15:00 alle

_____ [18:00] [sera] [il] [e] [sabato]

❺ Fa questo lavoro tre mesi all'anno. [all'anno] [questo] [tre] [Fa] [lavoro] [mesi]

a ○

b ○

c ○

d ○

e ○

> When **finire** and **cominciare** are followed by an infinitive, a preposition (**di** or **a**) is placed between the two verbs:
>
> *Marta finisce **di** lavorare a mezzanotte.*
>
> *Roberto comincia **a** lavorare alle 9:00.*

2 ESERCIZIO ORALE | *Quando lavori?* · WB 1 / 2 / 3 / 4

Go round the classroom and ask your classmates what their job is and when they work. If you do not have a job, answer giving information about your ideal job. Try to use the expressions below.

| In quali giorni lavori? | Da che ora a che ora lavori? | A che ora… |

| Quando cominci a… | Quando finisci di… | Che lavoro fai? |

3 LETTURA | Vita da studenti fuori sede

a. *Read the following text.*

1

I problemi degli studenti fuori sede *

Per molti studenti universitari, vivere e studiare lontano dalla propria famiglia, in un'altra città, è un sogno. Stare da soli, raggiungere una certa autonomia e poter decidere liberamente è un'esperienza esaltante, ma può presentare problemi di convivenza con i vostri nuovi

5 *coinquilini. Per prepararvi leggete questa breve guida ai problemi di studenti, raccontati da studenti come voi!*

Le pulizie – E adesso chi pulisce?
Il mio coinquilino è pulito, ma non pulisce la casa.
Mirko: Giovanni è un coinquilino (semi)perfetto: è simpatico, tranquillo e spesso

10 prepara la cena per tutti… l'unico problema è che non si occupa per niente delle pulizie. Lui personalmente si mette sempre vestiti puliti e si lava molto… ma quando mangia non lava i piatti e a casa non fa niente! Mi sento sempre più nervoso e arrabbiato con lui. Avete consigli?

Le feste – Due o venti amici?
15 *Quante feste facciamo e quante persone invitiamo? Dobbiamo metterci d'accordo!*
Cristina: "Sei troppo stressata per l'esame di domani. Questa sera invito qualche amico così ti rilassi e ti distrai un po'!". Forse Laura, la mia (ex)coinquilina, ha ragione e dico di sì. Quando torno a casa dall'università, trovo… una festa! Laura ha invitato più di venti persone che parlano, bevono e si divertono… io mi arrabbio tantissimo,
20 e vado a dormire da una vera amica!

Stili di vita – Andiamo d'accordo, ma siamo molto diversi!
È difficile trovare un'armonia con ritmi di vita molto diversi.
Francesco: Io e Marta siamo due buoni amici, ma abbiamo due vite diverse… forse troppo! Di solito, lei si sveglia verso le 10:00, io preferisco svegliarmi alle 6:00
25 per fare sport e poi studio. La sera verso le 22:00 mi metto il pigiama e vado a dormire. Lei spesso invita amici a cena, chiacchierano fino a tardi, e mangiano i miei dolci vegani. Proviamo a trovare un'armonia, a organizzarci… ma non funziona, alla fine ci disturbiamo e in casa c'è tensione. Consigli?

Vi sentite pronti per la vostra nuova avventura?
30 *Se volete dare un contributo, scrivete sul nostro blog www.vitadastudenti.com*

---

b. *What do you think about these challenges of sharing a living space? Have you ever found yourself in a similar situation?*

* studenti fuori sede = studenti che vanno all'università in una città lontana da quella della famiglia.

4 RIFLETTIAMO | Verbi riflessivi · WB 5 / 6 / 7

a. *Find the following verbs in the previous text and fill in the chart, as in the example below.*

riga	infinito	presente indicativo	soggetto
12	sentirsi	*mi sento*	
19	arrab iarsi		io
25	mettersi		
17	rilassarsi		tu
17	distrarsi		
10	occuparsi		
11	mettersi		lui / lei
11	lavarsi		
24	svegliarsi		
28	disturbarsi		noi
29	sentirsi		voi
19	divertirsi		loro

b. *Conjugate the regular reflexive verbs.*

	svegli**arsi**	mett**ersi**	divert**irsi**
io			**mi** divert**o**
tu	**ti** svegl**i**	**ti** mett**i**	
lui / lei / Lei			**si** divert**e**
noi		**ci** mett**iamo**	
voi		**vi** mett**ete**	**vi** divert**ite**
loro	**si** svegl**iano**		

ATTIVITÀ DI SCRITTURA 1
go to page 143

5 ASCOLTO | Una studentessa lavoratrice   32 ◖◗

a. *Listen to the conversation and answer the questions:*

❶ What is a typical day like for Claudia during the week?

❷ What does Claudia think of her status as a student worker?

b. *Listen several times to the conversation and complete the following transcription.*   33 ◖◗

Intervistatore: Quando lavori?

Claudia: Lavoro mezza giornata, _____ _____ _____
_____ _____ _____ e quindi studio la mattina.

Intervistatore: E _____ _____ _____ _____ _____?

Claudia: _____ _____ presto, verso _____ _____ e
_____ _____ _____ _____.

6 ESERCIZIO SCRITTO | Una giornata normale · WB 8 / 9 / 10 / 11

*Work with a partner. Match the activities in the list with the pictures below, as in the example,
then write what Massimo does during the day. Use your imagination to add details.*

❶ addormentarsi
❷ finire di lavorare
❸ pranzare
✔ ❹ svegliarsi
❺ fare colazione
❻ guardare la TV
❼ riposarsi
❽ vestirsi

Massimo
si sveglia
alle...

ⓐ④   ⓑ○   ⓒ○   ⓓ○

ⓔ○   ⓕ○   ⓖ○   ⓗ○

7 ESERCIZIO ORALE | Verbi riflessivi

*Work with a partner. Repeat the following conversation changing the subject pronouns as well as the
time, as in the example. Then switch roles.*

(Loro) (Loro)   7:00 / 8:15

✦ A che ora si svegliano?
▼ Si svegliano alle 7:00
   e cominciano a studiare alle 8:15.

Esempio: (Tu) (Io)   6:00 / 6:30

✦ A che ora ti svegli?
▼ Mi sveglio verso le 6:00
   e comincio a studiare alle 6:30.

❶ (Lui) (Lui)   12:30 / 14:00
❷ (Voi) (Noi)   9:30 / 11:00
❸ (Lei (formale)) (Io)   6:45 / 7:30
❹ (Lei) (Lei)   10:30 / 12:00
❺ (Tu) (Io)   8:15 / 9:00

8 ESERCIZIO ORALE | *A che ora...?*

*Work with a partner. Interview him / her asking at what time he / she does the activities in the list
below. If necessary, use adverbs such as **di solito, generalmente, sempre**, etc., as in the example.*

Esempio: • cominciare a studiare
▼ Di solito a che ora cominci a studiare?
● Generalmente comincio a studiare
   alle 10:30.

• svegliarsi
• fare colazione
• fare sport
• finire di studiare / lavorare

• pranzare
• cenare
• uscire con gli amici
• addormentarsi

9 PARLIAMO | La mia giornata

Work with a partner. Choose one of these people without telling your classmate which one and describe his / her typical day. Your partner must guess which person you chose. Then switch roles.

Federica • barista

Sonia • insegnante di yoga

Davide • commesso

Serena • dogsitter

Christian • deejay

10 ASCOLTO | Il sabato di Davide

34 ((▶

a. *Close the book, listen to the recording, then work with a partner and share information on the conversation.*

b. *Listen again and put the following pictures in the correct order according to what Davide says.*

a ○

b ○

c ○

d ○

e ○

f ○

c. *Now answer the following questions, then compare them with those of a classmate.*

❶ Come passa di solito il sabato Angela?

❷ Preferisci il sabato di Davide o di Angela? Perché?

 **ATTIVITÀ DI SCRITTURA 2** go to page 143

11 RIFLETTIAMO | Posizione del pronome riflessivo · WB 12 / 13   35 🔊

a. *Listen again to the previous conversation and complete the following transcription putting the words in the lists into the correct order. Then compare your transcription with that of a classmate.*

■ Ma dai! E _____.   ⬚ti⬚ ⬚a che⬚ ⬚alzi?⬚ ⬚ora⬚

▼ Il sabato _____.   ⬚le 11:00⬚ ⬚piace⬚ ⬚alzarmi⬚ ⬚mi⬚ ⬚verso⬚

■ Così tardi?

▼ Ma sì, il fine settimana _____.   ⬚riposarmi⬚ ⬚voglio⬚ ⬚io⬚

■ Sì, capisco _____,   ⬚riposarti⬚ ⬚vuoi⬚ ⬚che⬚
ma così la mattina non fai niente!

▼ Be', proprio niente no. Di solito _____,   ⬚un⬚ ⬚bevo⬚ ⬚caffè⬚
mi _____.   ⬚correre⬚ ⬚vado⬚ ⬚e⬚ ⬚preparo⬚ ⬚a⬚

b. *Look at the sentences that you have rearranged. In three instances, the reflexive pronouns are found at the end of the verb. Why do you think this is?*

12 ESERCIZIO SCRITTO | Posizione del pronome riflessivo · WB 14 / 15

Complete the following extract taken from activity **3** *writing the reflexive verbs in brackets in the present tense or in the infinitive, as in the example.*

I problemi degli studenti fuori sede

Stare da soli può presentare problemi di convivenza con i vostri nuovi coinquilini. Per (voi – prepararsi) __prepararvi__*, leggete questa breve guida ai problemi di studenti, raccontati da studenti come voi!*

Le feste – Due o venti amici?

Quante feste facciamo e quante persone invitiamo? Dobbiamo (mettersi) _____ *d'accordo!*
Cristina: "Sei troppo stressata per l'esame di domani. Questa sera invito qualche amico così *(tu – rilassarsi)* _____ e *(tu – distrarsi)* _____ un po'!" Forse Laura, la mia (ex)coinquilina, ha ragione e dico di sì. Quando torno a casa dall'università, trovo... una festa! Laura ha invitato più di venti persone che parlano, bevono e *(divertirsi)* _____... io *(arrabbiarsi)* _____ tantissimo.

Stili di vita – Andiamo d'accordo, ma siamo molto diversi!

È difficile trovare un'armonia con ritmi di vita molto diversi.
Francesco: Io e Marta siamo due buoni amici, ma abbiamo due vite diverse... forse troppo! Di solito, lei *(svegliarsi)* _____ verso le 10:00, io preferisco *(svegliarsi)* _____ alle 6:00 per fare sport e poi studio. La sera verso le 22:00 *(mettersi)* _____ il pigiama e vado a dormire. [...] Proviamo a trovare un'armonia, a *(noi – organizzarsi)* _____... ma non funziona, alla fine *(noi – disturbarsi)* _____.

---

13 ESERCIZIO ORALE | *Schiavi delle abitudini?*

Work with three classmates. Ask each other the following questions and complete the questionnaire below with everyone's answers. At the end one student will present the results of his / her group to the rest of the class.

	How many students in the group?			
	1	2	3	4
❶ Come fai colazione?				
Sempre nello stesso modo.	○	○	○	○
A volte in un modo, a volte in un altro.	○	○	○	○
Non faccio mai colazione.	○	○	○	○
❷ Pranzi sempre nello stesso posto?				
Sì, sempre.	○	○	○	○
Di solito sì.	○	○	○	○
No, mi piace cambiare.	○	○	○	○
❸ Durante la cena guardi la TV?				
Sì, sempre.	○	○	○	○
A volte.	○	○	○	○
No, mai.	○	○	○	○
❹ Quante volte alla settimana esci la sera?				
Mai.	○	○	○	○
Una o due volte.	○	○	○	○
Tre volte o più.	○	○	○	○
❺ Aggiorni il tuo profilo Instagram?				
Sì, spesso.	○	○	○	○
Sì, a volte.	○	○	○	○
No, mai. / Non ho un profilo Instagram.	○	○	○	○
❻ Quante nuove persone hai conosciuto negli ultimi sei mesi?				
Nessuna.	○	○	○	○
Fra una e cinque.	○	○	○	○
Più di cinque.	○	○	○	○
❼ Come organizzi le tue vacanze?				
Non ho bisogno di organizzarmi. Vado sempre nello stesso posto.	○	○	○	○
Mi organizzo qualche mese prima.	○	○	○	○
Decido compagnia e tipo di viaggio all'ultimo momento.	○	○	○	○

14 LETTURA | *Auguri!* • WB 16

Which greeting cards do the texts below refer to?

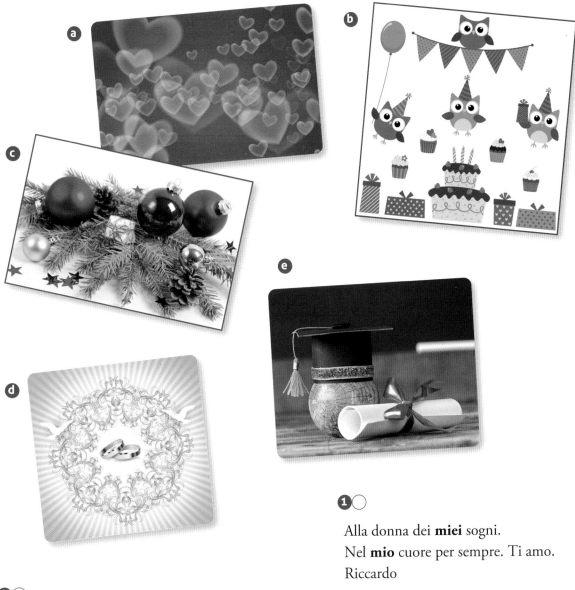

1○

Alla donna dei **miei** sogni.
Nel **mio** cuore per sempre. Ti amo.
Riccardo

Tanti auguri per il **tuo** compleanno.
Che bello, finalmente 18 anni!
zio Silvio e zia Miriam

Tanti auguri di buone feste a te e ai **tuoi** genitori,
Lucia

Complimenti per la **tua** laurea!
110 è il voto giusto per una studentessa
brava come te! Siamo molto orgogliose di te.
Le **tue** amiche
Giovanna, Carla e Rosalia

Tanti auguri
per il **tuo** matrimonio!
Nicola

15 COMBINAZIONI | Feste e ricorrenze

Here are some important holidays in Italy. Match them with the corresponding dates, as in the example.

1 ⓓ Natale
2 ◯ Ferragosto
3 ◯ Festa dei lavoratori
4 ◯ Capodanno
5 ◯ Epifania
6 ◯ San Valentino

ⓐ il primo gennaio
ⓑ il 14 febbraio
ⓒ il 6 gennaio
ⓓ il 25 dicembre
ⓔ il primo maggio
ⓕ il 15 agosto

> In Italian the date is expressed by a cardinal number preceded by a masculine definite article:
> *Oggi è **il tre** luglio.*
> *Vengo a casa tua **l'otto** gennaio.*
>
> An ordinal number is used only with the first day of the month:
> *Oggi è **il primo** settembre.*
>
> Definite articles are also used before years:
> ***Il 2013** è stato un anno molto caldo.*
>
> Dates are indicated as follows: day / month / year.
> Wednesday, June 8th, 2022 =
> → Mercoledì, 8 giugno 2022
> → Mercoledì, 8/6/2022

16 PARLIAMO | *E nel tuo Paese?*

Which of the above mentioned public holidays do you also have in your country? Do you celebrate other important national events? Discuss with a partner.

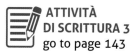 **ATTIVITÀ DI SCRITTURA 3** go to page 143

17 COMBINAZIONI | *Cosa dici in queste occasioni?* · WB 17 / 18

Match the following situations with the appropriate wishes, as in the example.

1 ◯ È il primo gennaio.
2 ◯ Siete a tavola.
3 ◯ È il compleanno di un'amica.
4 ◯ È il 25 dicembre.
5 ◯ Accompagnate un amico alla stazione.
6 ◯ Degli amici partono per il mare.
7 ⓒ Bevete un bicchiere di prosecco con un amico.
8 ◯ Un'amica ha finalmente trovato lavoro.
9 ◯ Incontri un'amica che va in ufficio.
10 ◯ È mattina, incontri un amico che va all'università.
11 ◯ Un tuo amico va a una festa.
12 ◯ Una tua amica ha un esame importante.

ⓐ Buon viaggio!
ⓑ Tanti auguri!
ⓒ Cin cin!
ⓓ In bocca al lupo!
ⓔ Congratulazioni!
ⓕ Buon anno!
ⓖ Buona giornata!
ⓗ Buon Natale!
ⓘ Buone vacanze!
ⓛ Buon divertimento!
ⓜ Buon lavoro!
ⓝ Buon appetito!

> **In bocca al lupo** = break a leg
> The response to this idiomatic expression is: **Crepi!**

18 RIFLETTIAMO | Aggettivi possessivi · WB 19 / 20

a. *Work with a partner. Find the following **aggettivi possessivi** (possessive adjectives) in the greeting cards from activity **14** and next to them write the nouns that they refer to in the texts, as in the example.*

1 tuo _____matrimonio_____   **5** tua _____
2 tuo _____   **6** miei_____
3 tuoi _____   **7** mio _____
4 tue _____

b. *Underline the correct option.*

In Italian, possessive adjectives agree in gender and number with **the noun to which they refer / the owner.**

c. *Now insert the possessive adjectives above in the following table, as in the example, then try to complete it with the two missing forms.*

	maschile		femminile	
	singolare	plurale	singolare	plurale
io	mio			
tu				

19 ESERCIZIO SCRITTO | Lessico e aggettivi possessivi · WB 21 / 22

Complete the sentences with the words from the list.

| libri | macchina | libro | genitori | amica francese | compleanno | amiche |

1 A pranzo mangio sempre a casa con i miei _____.
2 Ti presento Amélie, la mia _____.
3 Per preparare l'esame posso usare i tuoi _____?
4 Perché non sei andata al cinema con le tue _____?
5 Paolo, ma davvero oggi è il tuo _____? Allora siamo nati lo stesso giorno!
6 Hai visto la mia _____?
7 Ho portato in vacanza il mio _____ di francese, ma non ho studiato niente.

20 ESERCIZIO ORALE | Aggettivi possessivi

Work with a partner. One student asks a question using groups of words below, while the other student answers, as in the example. Then switch roles.

Esempio:
quando • essere • compleanno
■ Quando è **il tuo** compleanno?
▼ **Il mio** compleanno è il 3 marzo.

1 dove • comprare • vestiti
2 come • essere • insegnante
3 qual • essere • colore preferito
4 come • chiamarsi • migliore amica/o
5 dove • passare • vacanze
6 quando • vedere • famiglia
7 qual • essere • gruppo musicale preferito

PREPOSIZIONI – PREPOSITIONS: *DA... A...*

The preposition **da** is used (with or without a definite article) to indicate when a period of time begins.

The preposition **a** is used (with or without a definite article) to indicate when a period of time comes to an end.

Siamo a Roma **da** domani **a** venerdì.
Ho lezione **dal** lunedì **al** giovedì.

▼ **Da** che ora **a** che ora lavori?
◆ Lavoro **dalle** 9:00 **alle** 18:00.

PREPOSIZIONI – PREPOSITIONS: *A* AND *DI* BEFORE INFINITIVE

When some verbs (such as **aiutare**, **andare**, and **cominciare**) are followed by an infinitive, the preposition **a** is required between the two verbs.

Comincio **a** studiare oggi pomeriggio.
Andiamo **a** lavorare a piedi.
Paolo aiuta Alberta **a** studiare.

When other verbs (such as **consigliare**, **finire**, and **pensare**) are followed by an infinitive, the preposition **di** is required between the two verbs.

Finiamo **di** lavorare alle 18:00.
Ho consigliato a Federico **di** studiare di più.
Pensi **di** venire alla festa sabato sera?

VERBI RIFLESSIVI – REFLEXIVE VERBS

Reflexive verbs are conjugated like normal verbs (endings are identical). They are preceded by reflexive pronouns.

In negative sentences, the negation **non** comes before the reflexive pronoun.

When a reflexive verb is in the infinitive form, the reflexive pronoun comes after the verb and forms a single word with it.

Si alza tutti i giorni alle 7:00.
A Roma **mi perdo** sempre!

Domani **non** ci alziamo presto.

Finite di prepara**rvi** alle 7:45.
Questo weekend voglio diverti**rmi**!
Finalmente possiamo rilassar**ci**!

	ripos**arsi**	perd**ersi**	vest**irsi**
io	**mi** ripos**o**	**mi** perd**o**	**mi** vest**o**
tu	**ti** ripos**i**	**ti** perd**i**	**ti** vest**i**
lui / lei / Lei	**si** ripos**a**	**si** perd**e**	**si** vest**e**
noi	**ci** ripos**iamo**	**ci** perd**iamo**	**ci** vest**iamo**
voi	**vi** ripos**ate**	**vi** perd**ete**	**vi** vest**ite**
loro	**si** ripos**ano**	**si** perd**ono**	**si** vest**ono**

POSIZIONE DEL PRONOME RIFLESSIVO CON I VERBI MODALI – POSITION OF THE REFLEXIVE PRONOUN IN MODAL VERBS

In sentences with modal verbs (**dovere**, **potere**, **volere**), the reflexive pronoun can be placed in two different positions: before the modal verb or after the infinitive:
• if it is placed before the modal verb, the infinitive of the reflexive verb does not have a pronoun,
• if it is placed after the infinitive, the pronoun is combined with the verb.

Domani **mi** devo alzare alle 6:00.

Domani devo alzar**mi** alle 6:00.

AGGETTIVI POSSESSIVI – POSSESSIVE ADJECTIVES

Possessive adjectives agree in gender and number with the nouns to which they refer. Possessive adjectives are usually preceded by the article.

Piero, hai visto **il mio** cellulare e **i miei** libri? Non sono nella **mia** borsa!

Il tuo cellulare è vicino al computer, con **i tuoi** libri.

	maschile		femminile	
	singolare	plurale	singolare	plurale
io	il **mio** libro	i **miei** amici	la **mia** stanza	le **mie** amiche
tu	il **tuo** libro	i **tuoi** amici	la **tua** stanza	le **tue** amiche

ATTIVITÀ DI SCRITTURA • WRITING ACTIVITIES

1 Vita da studente

You have decided to write to the blog www.vitadastudenti.com to share your experience.
Talk about one memorable story from your life as a student. Make sure to also give a title to your post.

2 La mia settimana

Describe your weekly routine.

3 Auguri!

What is your favourite national holiday?
Write a greeting card to a friend for that day.

REFLEXIVE VERBS

occuparsi (delle pulizie, della casa…)	to take care of (the cleaning, the house…)
mettersi (i vestiti, il pigiama…)	to put on (clothes, pajamas…)
lavarsi i denti	to brush your teeth
lavarsi le mani	to wash your hands
rilassarsi	to relax
distrarsi	to get distracted
divertirsi	to have fun
arrabbiarsi	to get angry
svegliarsi	to wake up
sentirsi (bene, male, pronti, nervosi…)	to feel (good, bad, ready, nervous…)
mettersi d'accordo	to agree

OTHER VERBS

decidere	to choose
lavare (i piatti)	to wash (the dishes)
invitare (gli amici, le persone…)	to invite (friend, people…)
disturbare	to disturb
chiacchierare	to chat
trovare	to find

ADVERBS

generalmente	generally
di solito	usually

THE DATE

Oggi è lunedì 2 luglio.	Today is Monday 2nd July.
Oggi è il 2 luglio.	Today is July 2nd.
Oggi è l'8 settembre.	Today is September 8th.
Oggi è il primo marzo.	Today is March 1st.
Oggi è il 3 dicembre 2022.	Today is December 3rd 2022.
3 dicembre 2022 = 3/12/2022 (not 12/3/2022)	

STUDENT LIFE

autonomia (f.)	autonomy
esperienza (f.)	experience
studente/essa fuori sede	off-site student
convivenza (f.)	cohabitation
coinquilino/a	roommate
esame (m.)	exam
festa (f.)	party
ritmo di vita (m.)	pace of life
stile di vita (m.)	lifestyle

GREETINGS

Auguri!	Best wishes!
Complimenti!	Congratulations!
Buon viaggio!	Have a safe trip!
Cin cin!	Cheers!
Congratulazioni!	Congratulations!
Buon anno!	Happy New Year!
Buona giornata!	Have a nice day!
Buon Natale!	Merry Christmas!
Buone vacanze!	Happy holidays!
Buon divertimento!	Have fun!
Buon appetito!	Enjoy your meal!
Buon lavoro!	Have a nice day at work!

HOLIDAYS AND CELEBRATIONS

Natale	Christmas
Capodanno	New Year's Day
Ferragosto	August 15th (*Italian National Holiday*)
Festa dei lavoratori	Labor Day
Epifania	Epiphany
San Valentino	Valentine's Day
Compleanno	Birthday

USEFUL SENTENCES AND EXPRESSIONS

Lavora dalle 8:00 alle 12:00.	He / She works from 8:00 to 12:00.
Quali giorni lavori?	What days do you work?
Da che ora a che ora lavori?	From what time to what time do you work?
Quando cominci a…?	What time do you start…?
Quando finisci di…?	What time do you finish…?
A che ora…?	What time…?

COSA REGALANO GLI ITALIANI

1 *Match the following dates and special occasions with the pictures below.*

1◯ Giornata internazionale della donna
2◯ Nascita di un bambino
3◯ Invito a cena

4◯ Compleanno / Natale
5◯ San Valentino

a
b
c
d
e

2 *Would you offer the same things on these occasions in your country? Discuss with a partner.*

3 *Knowing local gift-giving habits can be quite helpful! Read the following sentences, see what is polite in Italy and indicate whether these rules apply to your country, too. Then read the text below.*

	nel mio Paese sì	nel mio Paese no	in Italia sì	in Italia no
1 Portare un regalo se invitati in casa d'altri.	◯	◯	✔	◯
2 Regalare un portafoglio vuoto.	◯	◯	◯	✔
3 Aprire il regalo subito.	◯	◯	✔	◯
4 Regalare un numero pari di rose.	◯	◯	◯	✔
5 Ringraziare e sorridere anche se il regalo non piace.	◯	◯	✔	◯
6 Riciclare i regali.	◯	◯	◯	✔

Perché sì e perché no

1 Di regola, se qualcuno ci invita a pranzo o a cena, portiamo una bottiglia di vino, un dolce o un mazzo di fiori.

2 Quando regaliamo un portafoglio, mettiamo dentro qualche moneta come portafortuna.

3 In Italia è buona educazione aprire il regalo subito per dimostrare che siamo interessati a vedere che cos'è.

4 Secondo un'antica tradizione, bisogna regalare le rose in numero dispari, perché il numero pari porta sfortuna. Fanno eccezione la dozzina (12) di rose rosse e le 6 rose (sempre rosse) per un fidanzamento.

5 Naturalmente è questione di educazione: il regalo è sempre una cosa positiva, anche quando non piace.

6 Non è educato, ma molti lo fanno. Attenzione, però: la persona che ci ha fatto il regalo non deve saperlo assolutamente!

Episodio 8: L'AGENDA DI LAURA

1 *Read the following sentences before watching the episode. Do they refer to Laura (L) or to Federico (F)? Watch the video and check your answers.*

Laura

L F

1 Guarda la partita di calcio.   ◯ ◯
2 Esce con le amiche.   ◯ ◯
3 Esce con Marina.   ◯ ◯
4 Va a yoga.   ◯ ◯
5 Va a mangiare una pizza con gli amici.   ◯ ◯
6 Va a un concerto.   ◯ ◯

Federico

2 *What day of the week are the two friends speaking? If necessary, watch the episode again in order to gather clues.*

3 *Complete Laura's agenda for the upcoming week.*

lunedì	martedì	mercoledì	giovedì	venerdì	sabato	domenica

4 *Where will Laura go on Monday?*   **a** ◯ al corso di yoga   **b** ◯ a una festa

5 *Look at what Laura and Federico say, then answer the questions.*

Ah già, **gli sportivi del divano!**
Vi alzate solo per andare a prendere da bere!

1 Cosa vuole dire Laura con l'espressione **gli sportivi del divano?**

  a ◯ Federico e i suoi amici amano fare sport.
  b ◯ Federico e i suoi amici fanno sport sul divano.
  c ◯ Federico e i suoi amici amano guardare lo sport alla TV.

Al cinema Astra **danno quel film** che ti piace tanto…

2 Cosa significa l'espressione **danno quel film?**

  a ◯ Regalano un film alle persone che vanno al cinema.
  b ◯ Hanno un film in programmazione.

LA FAMIGLIA

In this unit you will learn how to:
- describe a family tree
- talk and write about one's family and family habits
- talk about past events
- inquire about someone's past actions

listen to
the recordings
of unit 9

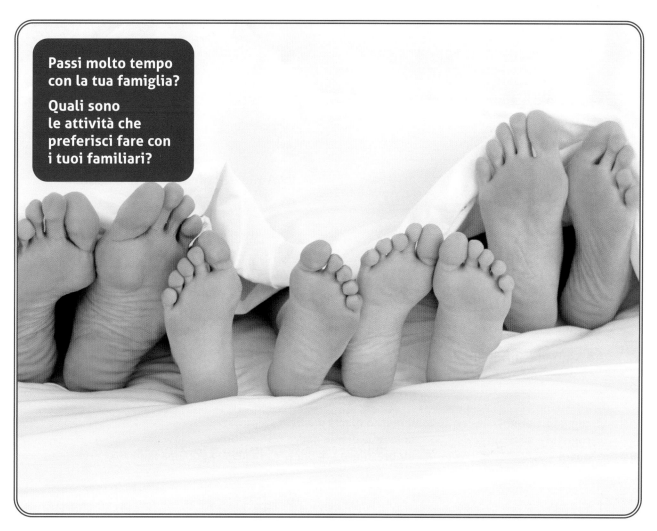

**Passi molto tempo
con la tua famiglia?**

**Quali sono
le attività che
preferisci fare con
i tuoi familiari?**

9 LA FAMIGLIA

1 ESERCIZIO SCRITTO | La famiglia • WB 1 / 2

Work with a partner. Look at the picture and complete the sentences below with words in the list.

il cugino	la figlia	i genitori	il marito	la nipote	il nipote

la nonna	i nonni	il padre	la sorella	lo zio

1 Mario è **il nonno** di Simona.

2 Sonia è _____ di Simona.

3 Mario e Sonia sono _____ di Simona.

4 Anna è **la madre** di Paolo.

5 Stefano è _____ di Paolo.

6 Anna e Stefano sono _____ di Paolo.

7 Giovanni è **il figlio** di Sonia.

8 Rita è _____ di Sonia.

9 Matteo è **il fratello** di Lorenzo.

10 Giulia è _____ di Lorenzo.

11 Isabella è **la zia** di Giulia.

12 Stefano è _____ di Giulia.

13 Amina è **la moglie** di Giovanni.

14 Stefano è _____ di Anna.

15 Matteo è **il nipote** di Rita.

16 Giulia è _____ di Rita.

17 Giulia è **la nipote** di Mario.

18 Matteo è _____ di Mario.

19 Simona è **la cugina** di Lorenzo.

20 Paolo è _____ di Lorenzo.

Altri nomi di parentela

cognato = brother-in-law	**il marito di mia madre** = stepfather
cognata = sister-in-law	**la moglie di mio padre** = stepmother
nuora = daughter-in-law	**nipote**: niece / nephew + grandson / granddaughter
genero = son-in-law	
suocero = father-in-law	Oftentimes, Italians, when speaking about their parents, instead of
suocera = mother-in-law	saying **i miei genitori** or **i tuoi genitori**, will simply say **i miei** and **i tuoi**.

2 LETTURA | Gli italiani e la famiglia

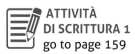

ATTIVITÀ DI SCRITTURA 1
go to page 159

a. *Read the text and complete the chart with the missing information.*

Quale è l'età ideale per trovare un lavoro stabile? Un sondaggio dice che per i giovani italiani l'età ideale per trovare un lavoro stabile è circa 22 anni. Quella per lasciare la famiglia di origine è 23 e quella per sposarsi è 25 anni. Sempre secondo il sondaggio, l'età ideale per fare un figlio è circa 26 anni. I dati reali però sono diversi: le statistiche dicono che è difficile lasciare la casa dei genitori prima dei 29 anni, sposarsi prima dei 32 anni e avere figli prima dei 31. Per quanto riguarda il lavoro, non è possibile dare un'età precisa. Normalmente, chi ha una laurea o una specializzazione, non riesce ad avere un lavoro con contratto prima dei 28 anni, quindi un'età molto lontana da quella che i giovani immaginano. Come spesso succede, anche in questo caso la realtà è lontana dai desideri. Diventare adulti in Italia non è una cosa facile.

fare il primo figlio

sondaggio	26 anni
dato reale	31 anni

sposarsi / convivere con il partner

sondaggio	
dato reale	32 anni

lasciare la casa dei genitori

sondaggio	
dato reale	29 anni

avere un lavoro stabile

sondaggio	
dato reale	//

b. *Does any of the information surprise you? Do you think the situation in your country is different?*

3 ASCOLTO | Vive ancora con i genitori • WB 3 / 4

36 ((▶

a. *Close the book, listen to the recording, then work with a partner and share information on the conversation.*

b. *Listen again to the conversation, then choose the correct option.*

❶ La famiglia di Valentina vive a:
- **a**○ Roma.
- **b**○ Milano.

❷ Valentina ha
- **a**○ una sorella più grande e una più piccola di lei.
- **b**○ due sorelle più grandi di lei.
- **c**○ due sorelle più piccole di lei.

❸ Suo fratello ha
- **a**○ 36 anni.
- **b**○ 34 anni.
- **c**○ 26 anni.

❹ Il fratello di Valentina
- **a**○ è impiegato.
- **b**○ studia.
- **c**○ fa il sociologo.

❺
- **a**○ Le due sorelle di Valentina hanno figli.
- **b**○ Una sorella di Valentina ha figli.

> fratello / sorella <u>più grande</u>
> = fratello / sorella <u>maggiore</u>
>
> fratello / sorella <u>più piccolo/a</u>
> = fratello / sorella <u>minore</u>

4 LETTURA | Una famiglia giramondo

a. *Read Laura's blog.*

Siamo una famiglia di quattro persone: siamo caotici, rumorosi e tutti con una forte personalità. Parliamo, discutiamo, a volte litighiamo, ma ci vogliamo un mondo di bene. Con il nostro camper, adesso visitiamo l'Europa!

FAMIGLIA GIRAMONDO   Home | Blog | Contatti

Mi chiamo Laura, e questo è il mio blog.
Sono nata a Bologna, dove mi sono laureata in Geologia. Mio marito è di Palermo, ma si è trasferito a Bologna dopo la sua laurea in Giurisprudenza. Io ed Enzo ci siamo conosciuti a una festa, ed è stato un amore a prima vista: ci siamo fidanzati a maggio e a settembre ci siamo sposati. I miei genitori sono rimasti un po' sorpresi quando gli ho comunicato la mia intenzione di sposarmi con un ragazzo conosciuto solo cinque mesi prima. "Non sono d'accordo con la tua decisione, ma se tu sei felice, va bene così", ha detto mia madre dopo una lunga discussione.
Un anno dopo è nato nostro figlio Carlo e dopo tre anni nostra figlia Lucia.
Una famiglia classica: due professionisti con due figli e una bella casa con giardino. Una sera però, ho guardato mio marito negli occhi e ho trovato il coraggio di parlare: "Enzo, io sono stanca. Ho bisogno di cambiare: cambiare città, cambiare vita, e cambiare insieme!". Lui ha capito perfettamente le mie parole: ha contattato due suoi cari amici che vivono in Brasile e abbiamo deciso di partire. Siamo andati in Brasile, vicino Minas Gerais, a lavorare in una cooperativa agricola. Abbiamo coltivato frutta e verdura e abbiamo vissuto in maniera totalmente indipendente. I nostri figli hanno fatto *home-schooling* e la loro istruzione è stata realmente libera e creativa.
È stata un'esperienza bellissima, ma dopo quasi due anni in campagna Carlo e Lucia si sono sentiti isolati, con pochi amici della loro età. Allora abbiamo deciso di tornare in Europa, per lavorare come volontari in vari Paesi e abbiamo comprato un camper per muoverci con libertà. Prima di partire per il nostro viaggio, i ragazzi vogliono visitare Palermo per conoscere i loro parenti e in particolare il loro nonno che ha quasi cento anni!
Se volete condividere i vostri pensieri e le vostre storie di viaggio, scrivete a una e-mail all'indirizzo che trovate nei contatti.

b. *What do you think of Laura and Enzo's choice? Talk about it with one of your classmates.*

5 RIFLETTIAMO | Aggettivi possessivi e nomi di parentela · WB 5 / 6 / 7

a. *Read Laura's blog again and* <u>underline</u> *all the possessive adjectives (**aggettivi possessivi**).*
Then work with a partner and together insert them in the table below.

	maschile		femminile	
	singolare	plurale	singolare	plurale
io				mie
tu		tuoi		
lui / lei / Lei	suo			
noi				nostre
voi	vostro			
loro			loro	

b. *Try to complete the previous table. See if you can work out the missing forms.*

c. *Now complete the rule checking the boxes with the correct answers.*

Usually in Italian, before possessive adjectives,

there is the article	there is no article	
○	○	**a** before nouns referring to family relationships in the singular.
○	○	**b** before nouns referring to family relationships in the plural.
○	○	**c** before all other nouns.
○	○	**d** before the possessive adjective **loro**.

6 ESERCIZIO SCRITTO | Gli aggettivi possessivi · WB 8 / 9 / 10 / 11   36 ◀▶

Complete the following sentences by <u>underlining</u> *the correct choice.*
*Then listen to the activity **3** dialogue again to check your answers.*

> ragazzo = boy ≠
> il mio ragazzo = my boyfriend
> ragazza = girl ≠
> la mia ragazza = my girlfriend

Ivan: Io sono qui da quasi otto anni.

Valentina: Ah, da solo o con **la tua / tua / tuo** famiglia?

Ivan: Da solo, e tu?

Valentina: Anch'io. **Mia / La mia / La tua** famiglia vive a Roma.

[...]

Ivan: E che cosa fanno?

Valentina: La più grande è impiegata, l'altra fa la sociologa e **il mio / mia / mio** fratello studia ancora.

Ivan: E vive con **tuoi / i tuoi / i loro** genitori, immagino.

Valentina: Sì.

[...]

Ivan: E **tue / le tue / le loro** sorelle sono sposate?

Valentina: La più grande sì e ha anche due bambini, l'altra invece vive con **il suo / sua / suo** ragazzo.

7 ESERCIZIO ORALE | *Chi di voi...?*
Work in small groups and find students who match the following descriptions.

| ha due sorelle | ha un / una nipote | è figlio unico |

| i suoi genitori vivono nella città dove studia | vede i suoi cugini spesso |

| suo nonno o sua nonna è nato/a in un Paese straniero | somiglia molto a sua madre |

| non somiglia né alla madre né al padre | non vive nella stessa città dei suoi genitori |

| va molto d'accordo con suo fratello o sua sorella |

8 ESERCIZIO SCRITTO | Aggettivi possessivi
*Complete the sentences with the **aggettivi possessivi** (and article, when necessary) and match the questions to the answers, as in the example below.*

1 ⓒ Quanti anni hanno (*lei*) _____ i suoi _____ fratelli?   **ⓐ** Dino.

2 ◯ Come si chiama (*voi*) _____ padre?   **ⓑ** Due anni fa.

3 ◯ Dove abita (*lui*) _____ madre?   **ⓒ** Hanno 20 e 22 anni.

4 ◯ Avete visto (*noi*) _____ sorelle?   **ⓓ** 87.

5 ◯ Quanti anni ha (*loro*) _____ nonna?   **ⓔ** A Bari.

6 ◯ Quando si è sposata (*voi*) _____ sorella?   **ⓕ** Sì, sono al bar.

9 PARLIAMO | Un parente speciale
Talk about a relative in your family who means a lot to you, and with whom you feel a strong connection.

10 ESERCIZIO ORALE | *Mio, tuo...*

This exercise is performed in small groups using dice.
The players take turns to throw the dice and move forward by as many steps as the number
*shown on the dice. Each number corresponds to a possessive adjective: 1 = **mio**, 2 = **tuo**, etc.*
The players' aim is to make a sentence matching the possessive form with the object or objects named.
If the sentence is correct, the player wins a point. The player with the highest number of points wins.

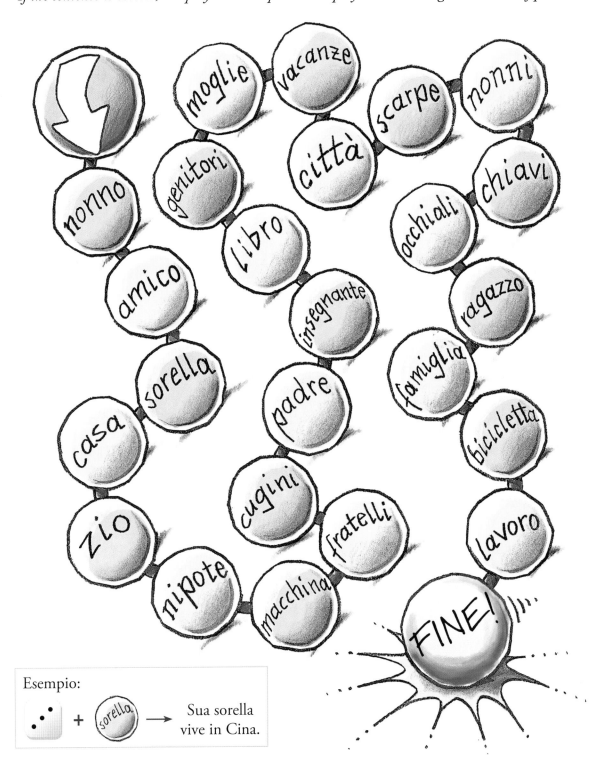

Esempio:

⚂ + sorella → Sua sorella vive in Cina.

11 RIFLETTIAMO | Passato prossimo dei verbi riflessivi · WB 12 / 13 / 14

a. *In her blog, Laura (activity **4** on page 150) uses some reflexive verbs in the **passato prossimo**. Find those verb forms and write them next to the infinitives below.*

❶ laurearsi: _____ **❹** fidanzarsi: _____

❷ trasferirsi: _____ **❺** sposarsi: _____

❸ conoscersi: _____ **❻** sentirsi: _____

b. *In the box below write what you think the rule is on the **passato prossimo** form of reflexive verbs, then compare your explanation with that of a classmate.*

12 ESERCIZIO SCRITTO | Passato prossimo dei verbi riflessivi · WB 15 / 16 / 17

Complete the sentences with the verbs in the list. The verbs are not in order.

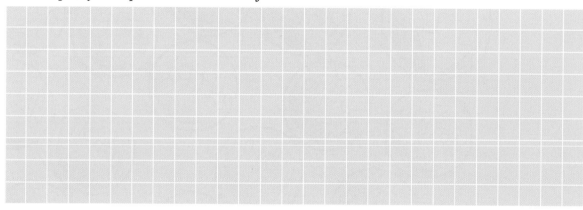

| ci siamo trasferiti | ti sei messa | mi sono addormentato | si sono conosciute |
| si sono laureati | si è svegliata | ti sei ricordata | si è arrabbiato | vi siete divertite |

❶ Francesca e Giada _____ all'università molti anni fa.

❷ Oggi Giulia _____ tardi ed è arrivata in ritardo al lavoro.

❸ Sabina, (*tu*) _____ di telefonare a Carlo per invitarlo a cena?

❹ Ieri (*io*) _____ molto presto.

❺ Ragazze, (*voi*) _____ alla festa di Filippo?

❻ Mario e Alessandro _____ tutti e due in medicina.

❼ Io e Marta _____ a Torino sei mesi fa.

❽ Il mio professore _____ perché sono arrivata in ritardo alla lezione.

❾ Paola, (*tu*) _____ i jeans per andare alla festa?

> diplomarsi
> = finire la scuola superiore (high school), passare l'esame di maturità
> laurearsi
> = finire l'università, ottenere la laurea

**ATTIVITÀ
DI SCRITTURA 2**
go to page 159

13 ESERCIZIO ORALE | *Cerca una persona che...*

*Go round the classroom and interview your classmates. Your goal is to find someone who did the things shown in the list below. Please note that you are not allowed to ask more than three questions per person. You must complete the list with as many names as you can before the teacher says **Stop!***

> Esempio:
> Lo scorso fine settimana si è divertito.
> ■ Lo scorso fine settimana ti sei divertito/a?
> ▼ Sì, mi sono divertito/a. / No, non mi sono divertito/a.

nome

❶ L'anno scorso si è laureato/a. _____

❷ Lo scorso fine settimana si è divertito/a. _____

❸ Sabato scorso si è alzato/a prima delle 7:00. _____

❹ Si è fidanzato/a da poco tempo. _____

❺ Si è trasferito/a in questa città da meno di un anno. _____

❻ Si è diplomato/a con un voto alto. _____

❼ Si è dedicato/a per anni allo studio del pianoforte. _____

❽ Oggi si è svegliato/a tardi. _____

❾ Lo scorso fine settimana non si è riposato/a per niente. _____

❿ Oggi si è arrabbiato/a molto. _____

⓫ Si è tagliato/a i capelli la settimana scorsa. _____

14 ESERCIZIO SCRITTO | Passato prossimo · WB 18 / 19

*Work with a partner. Together write some questions and answers, by using the interrogative words and phrases on the left and by conjugating the verbs in the **passato prossimo** on the right, as in the example below.*

quando

✔ in che cosa

dove

come

dove

in che cosa

> Esempio:
> (Tu (Enzo) · laurearsi) (Io · laurearsi in Filosofia)
> ■ In che cosa ti sei laureato?
> ▼ Mi sono laureato in legge.

❶ (Tu (Laura) · laurearsi) (Io · laurearsi in geologia)

❷ (Voi (Laura e Enzo) · conoscersi) (Noi · conoscersi a Bologna)

❸ (Loro (Laura e Enzo) · fidanzarsi) (Loro · fidanzarsi a maggio)

❹ (Lui · trasferirsi) (Lui · trasferirsi a Bologna)

❺ (Loro (Laura e Lucia) · sentirsi) (Loro · sentirsi isolati)

15 ASCOLTO | Il cugino americano 37 ◀))

a. *Close the book, listen to the recording, then work with a partner and share information on the conversation.*

b. *Listen to the conversation again, then answer the following questions.*

❶ Quando è stata l'ultima volta che la ragazza ha visto i suoi parenti americani?

_____

❷ Quando va in America la ragazza?

_____

❸ Quanto tempo vuole rimanere in America la ragazza?

_____

❹ Com'è suo cugino?

_____

❺ David parla bene l'italiano?

_____

16 TRASCRIZIONE | Il cugino americano 38 ◀))

Listen several times to the following part of the previous conversation and try to fill in the blanks.

Giulia: Mah, sono dei parenti di _____ madre che si _____ trasferiti negli Stati Uniti molti anni fa, a Cincinnati, io quasi non li _____. L'ultima _____ che ci _____ visti è stato 9, 10 anni fa.

Carlo: Tanto tempo…

Giulia: Sì, infatti, solo mia mamma _____ mantenuto i contatti con loro… e insomma lei e _____ cugina si _____ sentite lo scorso Natale e _____ avuto questa idea di ospitare i propri _____, a turno.

17 ESERCIZIO ORALE | Passato prossimo e aggettivi possessivi

Work with a partner. Repeat the following conversation changing subject pronouns, verbs and adjectives, as in the example.

✎ ATTIVITÀ DI SCRITTURA 3 go to page 159

(Tu) (mamma)

■ Tua mamma ha mantenuto i contatti con loro?
▼ Sì, lei e sua cugina si sono sentite lo scorso Natale.

Esempio: (Voi) (nipoti)

■ I vostri nipoti hanno mantenuto i contatti con loro?
▼ Sì, loro e la loro cugina si sono sentiti lo scorso Natale.

❶ (Tu) (nonno)
❷ (Noi) (padre)
❸ (Lui) (figli)
❹ (Loro) (zie)

18 LETTURA | La famiglia fa notizia

Match each photograph with its corresponding text.

a ○
b ○
c ○
d ○

1

Nonni a scuola dai nipoti, oggi lezione di internet

Nove scuole, 900 anziani, 900 ragazzi Obiettivo: creare in un anno un giornale online.

2

Donne in carriera, l'ora del dietrofront

Una su 4 torna a casa per i figli e il marito.

3

Fratello e sorella si ritrovano dopo 57 anni

Dopo quasi mezzo secolo l'incontro.

4

«Attenti alle baby-sitter, la mamma è una sola»

I piccoli passano gran parte della giornata con le «nanny» o davanti alla tv.

gli anziani = elderly / senior people

19 PARLIAMO | Famiglie

Look at the pictures and with a partner discuss the various depictions of family life.

AGGETTIVI POSSESSIVI – POSSESSIVE ADJECTIVES

	maschile		femminile	
	singolare	plurale	singolare	plurale
io	il **mio** libro	i **miei** amici	la **mia** stanza	le **mie** amiche
tu	il **tuo** libro	i **tuoi** amici	la **tua** stanza	le **tue** amiche
lui / lei	il **suo** libro	i **suoi** amici	la **sua** stanza	le **sue** amiche
Lei	il **Suo** libro	i **Suoi** amici	la **Sua** stanza	le **Sue** amiche
noi	il **nostro** libro	i **nostri** amici	la **nostra** stanza	le **nostre** amiche
voi	il **vostro** libro	i **vostri** amici	la **vostra** stanza	le **vostre** amiche
loro	il **loro** libro	i **loro** amici	la **loro** stanza	le **loro** amiche

Possessive adjectives agree in gender and number with the noun to which they refer (i.e., the thing which is possessed).

Suo, sua, suoi and sue mean both "his" and "her".

In very formal contexts, if the adjective suo / sua / suoi / sue refers to a formal Lei, it is written with a capital S.

Loro never changes (but the preceding article does).

■ Piero, hai visto **il mio** cellulare e **i miei** libri?

Non sono nella **mia** borsa!

◆ **Il tuo** cellulare è vicino al computer, con **i tuoi** libri.

Enrico viene con **il suo** amico italiano.
Marta parla con **la sua** migliore amica.
Giuliano ha accompagnato a casa **le sue** amiche.

La Sua prenotazione è confermata.

I miei genitori mi danno **la loro** macchina.
Gianni e Teresa vendono **il loro** appartamento.
Anna e Bruno hanno invitato **i loro** amici a cena.

AGGETTIVI POSSESSIVI E NOMI DI PARENTELA – POSSESSIVE ADJECTIVES AND FAMILY NOUNS

Possessive adjectives are usually preceded by an article.
Note:
• *articles are not used with family nouns in the singular form (**padre**, **madre**, **fratello**, **sorella**, **zio**, **cugina**, etc.),*
• *articles, though, are always used with plural nouns, even when they refer to family relationships,*
• *loro is always preceded by an article, even when it refers to a singular family noun.*

Ecco **mio** fratello.
Sua figlia è bionda.

Marta è venuta con **i suoi** figli.
I miei nonni sono polacchi.
Il loro padre è molto simpatico.

PASSATO PROSSIMO: VERBI RIFLESSIVI – PAST TENSE: REFLEXIVE VERBS

*In the **passato prossimo** tense, reflexive verbs always have **essere** as an auxiliary. Therefore, their past participle agrees with the subject.*

> Marina **si è laureata** ieri.
> **Vi siete divertiti** alla festa sabato?
> Paola e Monica **si sono svegliate** tardi.

Whenever we address a man formally, the masculine form is used. If instead we are formally addressing a woman, then we use the feminine form.

> Signor Bianchi, Lei **si è alzato** presto?
> Signora Bianchi, Lei **si è alzata** presto?

	alzarsi	sedersi	vestirsi
io	mi sono alzato/a	mi sono seduto/a	mi sono vestito/a
tu	ti sei alzato/a	ti sei seduto/a	ti sei vestito/a
lui / Lei (uomo)	si è alzato	si è seduto	si è vestito
lei / Lei (donna)	si è alzata	si è seduta	si è vestita
noi	ci siamo alzati/e	ci siamo seduti/e	ci siamo vestiti/e
voi	vi siete alzati/e	vi siete seduti/e	vi siete vestiti/e
loro	si sono alzati/e	si sono seduti/e	si sono vestiti/e

 ## ATTIVITÀ DI SCRITTURA • WRITING ACTIVITIES

1 Un parente speciale

Do you have a family member (brother, sister, cousin, aunt, uncle…) who is a real character with an interesting personality or with whom you have a special bond? Talk about your relationship with this person and explain why he / she is so special to you.

2 Foto di famiglia

You would like to send a photograph of you and your family to a friend whom you haven't seen for a long time. Describe the photograph and say what has changed in the last few years for you and your relatives.

3 Ecco cos'è successo

*Imagine you are one of the people discussed in the headlines in activity **18** (page 157) and write a brief, informal letter to describe your situation or story to a friend.*

 ❶

Nonni a scuola dai nipoti, oggi lezione di internet

Nove scuole, 900 anziani, 900 ragazzi. Obiettivo: creare in un anno un giornale online.

 ❷

Donne in carriera, l'ora del dietrofront

Una su 4 torna a casa per i figli e il marito.

 ❸

Fratello e sorella si ritrovano dopo 57 anni

Dopo quasi mezzo secolo l'incontro.

 ❹

«Attenti alle baby-sitter, la mamma è una sola»

I piccoli passano gran parte della giornata con le «nanny» o davanti alla tv.

THE FAMILY

famiglia (f.)	family
parente (m./f.)	relative
genitore (m.)	parent
madre (f.)	mother
mamma (f.)	mum
padre (m.)	father
papà (m.)	dad
marito (m.)	husband
moglie (f.)	wife
figlio/a (m./f.)	son / daughter
figlio/a unico/a (m./f.)	only child
fratello (maggiore = più grande) (m.)	(older) brother
fratello (minore = più piccolo) (m.)	(younger) brother
sorella (maggiore = più grande) (f.)	(older) sister
sorella (minore = più piccola) (f.)	(younger) sister
nonno/a (m./f.)	granfather / grandmother
zio/a (m./f.)	uncle / aunt
cugino/a (m./f.)	cousin
cognato/a (m./f.)	brother-in-law / sister-in-law
nuora (f.)	daughter-in-law
genero (m.)	son-in-law
suocero/a (m./f.)	father-in-law mother-in-law

BECOMING AN ADULT

trovare un lavoro	to find a job
lasciare la famiglia di origine	to live away from your family
fare un figlio	to have a child
essere sposato/a	to be married
laurea (f.)	graduation

REFLEXIVE VERBS

laurearsi	to graduate (college, university)
trasferirsi	to relocate
fidanzarsi	to get engaged
sposarsi	to get married
addormentarsi	to fall asleep
ricordarsi	to remember
diplomarsi	to graduate (high school)

OTHER VERBS

discutere	to discuss
litigare	to argue
volere bene	to love
comunicare	to communicate
nascere	to be born
cambiare	to change
coltivare	to cultivate
condividere	to share
convivere	to cohabit

ADJECTIVES

ideale	ideal
caotico	chaotic
rumoroso	noisy
forte	strong
felice	happy
stanco	tired
libero	free
creativo	creative
isolato	isolated

THE AGES OF LIFE

giovane (m./f.)	young man / woman
adulto/a (m./f.)	adult
anziano/a (m./f.)	elderly man / woman

I GESTI ITALIANI

1 *What do the following Italian gestures mean? Match the photographs below with the sentences in the list.*

| Non mi interessa per niente! | Quello è matto! | Buona fortuna! |

| Ci vediamo dopo! | Ma cosa vuoi? | È ora di andare. |

a

b

c

d

e

f

2 *Are gestures in your country similar or different? If some of them are similar, does their meaning differ from the Italian meaning? How would you convey ideas and feelings from activity* **1** *through gestures?*

Episodio 9: LA FAMIGLIA DELLA SPOSA

1 *Knowing that this episode is entitled "The bride's family", try to guess which items are shown or named in the video. Then watch it and check your answers.*

1○ invito di matrimonio   **5**○ pranzo di nozze
2○ fede nuziale   **6**○ fiori
3○ lista di nozze   **7**○ vestito da sposa
4○ macchina   **8**○ regalo

2 *Watch the episode again, then select the correct option for each sentence.*

1 Valentina ha incontrato   **a**○ il cugino di Laura.   **b**○ un'amica.
2 Valentina mostra a Laura   **a**○ un biglietto di auguri.   **b**○ un invito di nozze.
3 Il fratello di Laura   **a**○ si è sposato 5 mesi fa.   **b**○ è sposato da qualche anno.
4 La sposa della foto ha   **a**○ tre sorelle a New York.   **b**○ due sorelle sposate e una non sposata.
5 Il cugino di Laura   **a**○ è biondo e magro.   **b**○ ha perso i capelli.

3 *Read Laura's statement and choose its meaning.*

Mah, non è il mio tipo…

1○ Non è simpatico.
2○ Non è un mio amico.
3○ Non mi piace.

4 *Complete the following conversation with the words in the list. Then watch the episode again from 01'23" to 02'06" and check your answers.*

tu   sua   mi   tuo   sue   nostro   mia

Laura: Allora, senti, _____ aspetti due minuti, mi preparo in un attimo e vengo, ok?
Valentina: Nessun problema!
(…)
Laura: Pronta! Andiamo con la _____ macchina o con la tua?
Valentina: Ma che bella! È la foto di matrimonio di _____ fratello, vero?
Laura: Sì. Eh, ormai sono già passati cinque anni da quando si è sposato… _____ la moglie non la conosci, vero?
Valentina: No, mai vista. Questa chi è? _____ sorella?
Laura: Sì, una delle _____ sorelle: ne ha tre! Questa è la più grande, ma è l'unica non sposata. Pensa, ora vive a New York.
Valentina: E questo?
Laura: Quello è uno dei testimoni, un _____ cugino che vive a Bologna.

SAPORI D'ITALIA

In this unit you will learn how to:
• talk about one's eating habits
• write a shopping list
• talk about typical Italian recipes
• understand recipe instructions
• do grocery shopping
• indicate quantities

listen to
the recordings
of unit 10

Ti piace assaggiare
cibi nuovi
o preferisci
mangiare sempre
piatti che conosci
bene?

Sei vegetariano/a?

10 SAPORI D'ITALIA

1 PARLIAMO | All'alimentari · WB 1 / 2 / 3 / 4 / 5

Work with a partner: discuss which of the following products you like or do not like to eat. Which ones do you eat often?

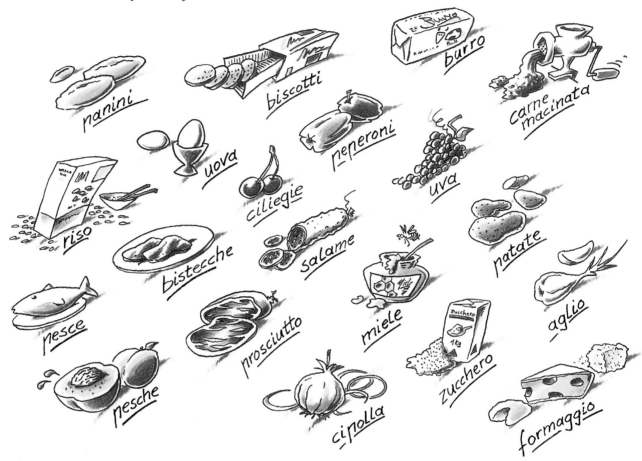

panini · biscotti · burro · carne macinata · uova · peperoni · uva · riso · ciliegie · salame · patate · bistecche · pesce · prosciutto · miele · zucchero · aglio · pesche · cipolla · formaggio

2 ASCOLTO | Fare la spesa · WB 6 / 7

39 (◈▶

a. *Listen to the three conversations and match each one of them with the store where Paolo is doing his shopping.*

❶○   ❷○   ❸○

b. *Listen to the conversations again and complete.* 39

Paolo compra...

❶ cinque _____

❷ un pacco di _____

❸ quattro _____ di maiale

❹ due etti e mezzo di _____

❺ due chili di _____

❻ un chilo di _____

> **un grammo** = 1 g (0,03 oz)
> **un etto** = 1 hg = 100 grammi (3,5 oz)
> **due etti e mezzo** = 250 grammi
> **un chilo** = 1 kg = 1000 grammi (2,2 lbs)

3 ESERCIZIO ORALE | *Che cosa hai comprato?*

Complete the shopping list below. Then work with a partner: you have two minutes to guess what your classmate has bought. You must guess as many items as possible.
Ask questions, as in the example.

Esempio:
■ Hai comprato 5 uova?
● Sì. / No.

cinque
un pacco di
quattro
due etti e mezzo di
due chili di
un chilo di

4 PARLIAMO | Mozzarella, aceto balsamico e...

Do you know these typical Italian products? Do you ever buy them? Do you use any Italian products when you're cooking? Which ones?

5 LETTURA | La carbonara

a. *Read the following article.*

Gli spaghetti alla carbonara: storia di una tradizione... moderna

1   La pasta alla carbonara è il terzo piatto italiano più conosciuto al mondo, dopo la pizza e la lasagna. Molte persone **lo** credono antichissimo, e invece la sua storia ha molte sorprese interessanti. Cerchiamo di scoprir**le** insieme.

Tra i piatti tradizionali, la carbonara è il più giovane,
5 alcuni **la** fanno risalire addirittura al 1944.
Durante la Seconda Guerra Mondiale i soldati
americani in missione in Europa avevano un kit
di sopravvivenza alimentare, composto da uova
in polvere e bacon: gli ingredienti alla base
10 del celebre piatto. Molto probabilmente è stato
un bravo cuoco di una trattoria di Roma che
li ha usati per la prima volta insieme agli spaghetti.
Oggi, infatti, la carbonara fa parte della cucina

tradizionale romana. Le prime notizie scritte su questa ricetta però non appaiono in Italia
15 ma negli Usa: **le** troviamo nel 1952, in una guida ai ristoranti di Chicago, *Vittles and Vice*
di Patricia Brontè. Brontè scrive anche la ricetta del piatto e ricorda che **lo** possiamo gustare
nel ristorante Armando's a Chicago.
Da alcuni anni alla carbonara è dedicata una giornata, il 6 aprile (il *Carbonara day*).
Ma come cucinare una buona carbonara? Puoi preparar**la** anche tu, ecco la ricetta:

20 **Carbonara | ingredienti per quattro persone**

• mezzo chilo di spaghetti
• due etti di pancetta (è meglio il guanciale, però non **lo** trovi facilmente fuori dell'Italia)
• due etti di pecorino romano
• 3 uova
25 • olio, sale, pepe

Devi mischiare bene le uova con una forchetta. Poi grattugi il pecorino e **lo** aggiungi alle uova,
insieme al pepe. Poi tagli la pancetta a pezzi e **la** metti in una padella con un po' di olio. Intanto
puoi riempire di acqua la pentola per gli spaghetti e **la** metti sul fornello. Quando l'acqua
bolle, aggiungi il sale e butti gli spaghetti nell'acqua. Mentre **li** cuoci devi mettere la padella
30 con la pancetta sul fuoco e cuocer**la** lentamente. Quando gli spaghetti sono pronti, **li** mischi
velocemente alle uova. Alla fine, versi la pancetta ancora calda e mischi tutto.
Buon appetito!

b. *Work with a partner. What do you remember about the history of spaghetti carbonara? How is it prepared?*

6 RIFLETTIAMO | Pronomi oggetto diretto · WB 8 / 9 / 10

a. *Work with a partner. Fill in the chart by looking in the article of activity 5 for the direct pronouns listed and indicating the nouns (people, places, things) that these pronouns refer to, as in the example.*

> Esempio:
> La pasta alla carbonara è il terzo piatto italiano più conosciuto al mondo dopo la pizza
> e la lasagna. Molte persone lo credono antichissimo, e invece la sua storia...

pronome diretto	riga	sostituisce
lo	2	il piatto
le	3	
la	5	
li	12	
le	15	
lo	16	
la	19	

pronome diretto	riga	sostituisce
lo	22	
lo	26	
la	27	
la	28	
li	29	
la	30	
li	30	

b. *Select the correct option and complete the rule.*

A direct object pronoun can refer to: a ○ people   b ○ people or things   c ○ things

c. *Insert the pronouns that you and your partner have analyzed in this chart.*

	singolare		plurale	
1ª persona	mi		ci	
2ª persona	ti		vi	
3ª persona	femminile	maschile	femminile	maschile

d. *Complete the rule for where direct pronouns are placed in a sentence by selecting the correct choice.*

Direct object pronouns:

❶ ○ are always found before the verb.

❷ ○ are found before a conjugated verb or after an infinitive verb.

❸ ○ are always found after the verb.

7 ESERCIZIO ORALE | *Mangi spesso...*

Work with a partner. Take turns asking whether you often eat one of the dishes in the list.
You must use a direct pronoun in your answer, as in the example.

i tortellini   le lasagne   il pollo fritto   l'insalata greca   il gelato

il riso alla cantonese   i burrito   gli spaghetti   le fragole   la torta di mele

il minestrone   il sushi   le salsicce   la zuppa di cipolla   i calamari

> Esempio: il pesce
> ■ Mangi spesso **il pesce**?
> ● Sì, **lo** mangio abbastanza spesso. / No, non **lo** mangio mai.

8 ESERCIZIO SCRITTO | Pronomi diretti • WB 11 / 12

Complete the text with the appropriate direct pronouns.

Tiramisù vegano

Per preparar___ senza uova hai bisogno di:

- 30 biscotti secchi vegani
- 4 tazzine di caffè
- cacao amaro in polvere
- 250 ml di latte di riso
- 120 g di panna vegetale da montare
- 20 g di zucchero
- 180 g di farina 00

Preparazione

Dobbiamo mischiare bene il latte, la farina e lo zucchero e poi ___ mettiamo in una pentola, sul fornello. Quando la crema diventa densa, ___ versiamo in una ciotola e ___ lasciamo raffreddare. Intanto montiamo la panna vegetale, ___ aggiungiamo alla crema e ___ mischiamo. Poi prepariamo un buon caffè espresso. Prendiamo i biscotti, ___ bagniamo nel caffè e ___ mettiamo in una teglia. A questo punto prendiamo la crema per versar___ sui biscotti. Facciamo vari strati di biscotti e crema e poi ricopriamo l'ultimo strato con cacao in polvere. Quando il dolce è pronto, ___ mettiamo in frigorifero almeno per due ore, per servir___ freddo. Buon appetito!

9 PARLIAMO | Il mio piatto preferito

Work with a partner. Describe your favorite recipe, without mentioning its name.
Your partner must figure out what dish you are describing.
Then switch roles.

ATTIVITÀ
DI SCRITTURA 1
go to page 175

10 ASCOLTO | In un negozio di alimentari

40

a. *Close the book, listen to the recording, then work with a partner and share information on the conversation.*

b. *Choose which shopping list is Mrs Ferri's.*

1
3 hg di mortadella
1 kg di parmigiano
1 l di latte
1 tubetto di maionese
2 vasetti di olive verdi
2 yogurt interi

2
2 hg di mortadella
1/2 kg di pecorino
1 l di latte
1 vasetto di maionese
2 vasetti di olive nere
1 yogurt magro

3
3 hg di mortadella
1/2 kg di parmigiano
1 l di latte
1 vasetto di maionese
2 vasetti di olive verdi
2 yogurt magri

c. *Now listen again to the conversation and complete the transcription below with the words in the list.*

litro di | quanto ne vuole | della | desidera | per cortesia

ancora qualcosa | ne vorrei | altro | mezzo chilo | del | circa tre etti

● Buongiorno, Angelo!

■ Buongiorno signora Ferri, allora cosa _____ oggi?

● Allora, vorrei _____ mortadella. Ne prendo

    _____.

    Ah, e la vorrei affettata sottile, _____.

■ Certo, signora. Guardi un po': va bene così?

● Perfetto!

■ Ecco fatto. _____?

● Sì. _____ parmigiano. Ma non lo vorrei troppo stagionato.

■ Piuttosto fresco allora.

● Sì, appunto.

■ _____?

● Circa _____.

■ Benissimo. Mezzo chilo. Qualcos'altro?

● Sì, un _____ latte fresco, un vasetto di maionese, delle olive e poi dello yogurt magro, due confezioni.

■ Benissimo. Allora latte, maionese, yogurt. Le olive le vuole verdi o nere?

● Verdi. _____ due vasetti.

■ _____?

● No, nient'altro, grazie.

■ Grazie a Lei. Allora, ecco, si accomodi alla cassa.

11 RIFLETTIAMO | Uso partitivo della preposizione articolata *di*

*Among the expressions that you inserted in the previous transcription the preposition **di** appears twice in combination with a definite article (thus becoming a compound preposition, **preposizione articolata**). In your opinion, what does this compound preposition mean in the previous conversation? Choose the correct option.*

a ○ un po' di   **b** ○ quelle / quello

12 COMBINAZIONI | *Vorrei del...* • WB 13 / 14 / 15

*Match the compound forms of the preposition **di** with appropriate nouns, as in the example.*

Vorrei...

del	salsicce
degli	ricotta
dello	agnolotti
delle	panini
della	aceto balsamico
degli	stracchino
dell'	spaghetti
dei	acqua naturale
dell'	prosciutto

13 ESERCIZIO ORALE | *Che cosa desidera?*

*Work with a partner. Take turns playing a shopkeeper and a customer. The shopkeeper asks **Che cosa desidera?**. The customer asks for an indefinite quantity of one of the products below, using a compound preposition with **di**, as in the example. When a product is asked for, both students write its name under the corresponding picture. If you do not remember what the products below are called in Italian, ask the teacher.*

Esempio:
■ Che cosa desidera?
● Vorrei **del** salame.

salame

14 **RIFLETTIAMO | Il *ne* partitivo** • WB 16 / 17

*In each of these sentences – taken from the conversation that you have listened to in activity 10 – the pronoun **ne** appears, replacing a noun that was just previously mentioned. Read the sentences and write the words that are not repeated upon being replaced with the pronoun.*

1 Allora, vorrei della mortadella. **Ne** prendo circa tre etti.

*The pronoun **ne** replaces the word* ___mortadella___ .

2 ■ Ancora qualcosa?
   ● Sì. Del parmigiano ma non lo vorrei troppo stagionato.
   ■ Quanto **ne** vuole?
   ● Circa mezzo chilo.

*The pronoun **ne** replaces the word* _____.

3 ■ Le olive, le vuole verdi o nere?
   ● Verdi. **Ne** vorrei due vasetti.

*The pronoun **ne** replaces the word* _____.

*The pronoun **ne** replaces the direct pronoun **lo**, **la**, **li**, **le** when you ask or give information about the quantity of something.*

15 **ESERCIZIO SCRITTO E ORALE | *Quanto ne vuole?***

a. *Work with a partner. Complete the shopping list below with quantities that you see fit, as in the example.*

fettuccine	1 chilo
latte	
olive	
prosciutto	
mozzarelle	
vino	
cereali	
parmigiano	
riso	

> **The indefinite adjective *quanto***
> When asking for something countable such as **salsicce**, **pomodori**, **olive**, you must use the plural form:
> *Quante salsicce vuole?*
> *Quanti pomodori vuole?*
> When asking for something uncountable such as **salame**, **olio**, **mortadella**, you must use the singular form:
> *Quanto salame vuole?*
> *Quanta mortadella vuole?*

ATTIVITÀ DI SCRITTURA 2
go to page 175

b. *Now change partner. Take turns playing a clerk in a food store and a customer. The clerk asks for information about the quantity required by the customer. The customer answers according to the quantity that he / she wrote on the previous shopping list and using **ne**, as in the example.*

> Esempio:
> ■ Quante fettuccine vuole?
> ● **Ne** vorrei **un chilo**.

16 **ESERCIZIO SCRITTO** | *Vorrei del...*

*Complete the sentences from the left column with the articulated prepositions of **di**. Next, match the sentences from the left column with those on the right. Finally, complete the sentences with the direct pronouns or with the pronoun **ne**, as in the example.*

(delle) (dell') (✓ del) (del) (delle) (dei) (della)

① ■ Vorrei __del__ salame.
② ■ Vorrei _____ mele.
③ ■ Vorrei _____ pomodori.
④ ■ Vorrei _____ mortadella.
⑤ ■ Vorrei _____ uva.
⑥ ■ Vorrei _____ vino.
⑦ ■ Vorrei _____ pesche.

▼ Li preferisce verdi o rossi? ■ Verdi, grazie.
▼ Quanta ne vuole? ■ ____ voglio 1/2 kg.
▼ Lo vuole bianco o rosso? ■ ____ vorrei bianco.
▼ Le preferisce verdi o rosse? ■ ____ preferisco rosse.
▼ Quanto ne vuole? ■ _Ne_ vorrei 300 g.
▼ Quante ne vuole? ■ ____ prendo 2 kg.
▼ La vuole bianca? ■ No, ____ voglio nera.

17 **ESERCIZIO ORALE** | **In un negozio** • WB 18 / 19 / 20 / 21

*Work with a partner. Repeat the following conversation, replacing **parmigiano**, **fresco / stagionato** and **tre etti** with the words in the list below, as in the example.*

■ Vorrei **del parmigiano.**
▼ **Lo** preferisce **fresco** o **stagionato**?
■ Mah... **Fresco.**
▼ **Quanto ne** vuole?
■ **Ne** vorrei **tre etti.**

> Esempio:
> i pomodori • verdi / rossi • 1/2 chilo
> ■ Vorrei **dei pomodori.**
> ▼ **Li** preferisce **verdi** o **rossi**?
> ■ Mah... **Rossi.**
> ▼ **Quanti ne** vuole?
> ■ **Ne** vorrei **mezzo chilo.**

il prosciutto • cotto / crudo • 2 etti
i peperoni • gialli / verdi • mezzo chilo
il vino • bianco / rosso • due bottiglie
le olive • verdi / nere • 3 etti e mezzo
l'uva • nera / bianca • due chili
il latte • intero / scremato • 1 litro
gli yogurt • bianchi / alla frutta • 4 vasetti
il riso • bianco / integrale • 1 pacco

18 PARLIAMO | La lista della spesa

a. *Work with a partner and make a list of things to buy for a picnic with some friends.*

b. *Now work with a different partner. Improvise a phone conversation sitting back to back. You are both going to the picnic and now need to organize things. Compare what you are planning to prepare and buy, make a common list and decide who does what.*

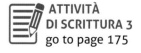

ATTIVITÀ DI SCRITTURA 3
go to page 175

PRONOMI DIRETTI – DIRECT PRONOUNS

Direct pronouns are used to replace an object or a person.

Direct pronouns lo, la, li, le agree in gender and number with the noun that they replace.

Before a vowel or h the singular forms lo and la take an apostrophe.

The plural forms li and le never take an apostrophe.

Direct pronouns precede conjugated verbs.

If verbs are in the infinitive form, direct pronouns follow the verbs and form a single word with them.

Luisa è la mia migliore amica. **La** conosco da quindici anni.
Mi aiuti a lavare la macchina?
Vi chiamo domani.

■ Quando vedi **Carlo**?
● **Lo** vedo domani.

■ Quando vedi **Maria**?
● **La** vedo domani.

■ Quando vedi i **colleghi**?
● **Li** vedo domani.

■ Quando vedi **le colleghe**?
● **Le** vedo domani.

■ Hai letto **il giornale**?
● No, non l'ho letto.

■ Ascolti **musica classica**?
● Sì, l'ascolto spesso.

■ Ti piacciono **i tortellini**?
● **Li** adoro!

■ Ti piacciono le lasagne?
● **Le** adoro!

■ Non abbiamo **il latte**.
● **Lo** compro prima di tornare a casa.

■ Fai **la spesa** al mercato o al supermercato?
● Preferisco far**la** al mercato.

	singolare		plurale	
1ª persona	mi		ci	
2ª persona	ti		vi	
3ª persona	maschile	femminile	femminile	maschile
	lo / l' (before vowel)	la / l' (before vowel)	li	le

VERBI + COMPLEMENTI DIRETTI – VERBS + DIRECT OBJECTS

Some verbs are commonly followed by a direct object (see boldtype in the table below).

aiutare	Aiuto **Giulio**. → **Lo / L'**aiuto.	perdere	Ho perso **l'ombrello**. → **L'**ho perso.
amare	Amo **le canzoni italiane**. → **Le** amo.	prendere	Prendo **il caffè**. → **Lo** prendo.
ascoltare	Ascolto **la radio**. → **L'**ascolto.	ringraziare	Ringrazia **le signore**. → **Le** ringrazia.
bere	Bevo **un cappuccino**. → **Lo** bevo.	salutare	Salutano **il professore**. → **Lo** salutano.
chiamare	Chiamiamo **Anna**? → **La** chiamiamo?	sentire	Non sente mai **la sveglia**. → Non **la** sente mai.
conoscere	Conosco **tuo fratello**. → **Lo** conosco.	studiare	Studiamo **l'italiano**. → **Lo** studiamo.
guardare	Guardo **la televisione**. → **La** guardo.	suonare	Suoni **il piano**? → **Lo** suoni?
incontrare	Incontro **gli amici**. → **Li** incontro.	trovare	Non trovo **le chiavi**. → Non **le** trovo.
invitare	Invito **i miei colleghi**. → **Li** invito.	vedere	Vedo **gli amici** stasera. → **Li** vedo stasera.
mangiare	Non mangia **la carne**. → Non **la** mangia.	visitare	Visito **il museo**. → **Lo** visito.

PREPOSIZIONE ARTICOLATA CON *DI* / PARTITIVO – COMPOUND PREPOSITION WITH *DI* / PARTITIVE

*Preposition **di** combined with a singular or plural definite article is used to indicate an indefinite quantity of something (like the expression **un po' di**).*

Vorrei **del** prosciutto. = Vorrei **un po' di** prosciutto.
Vorrei **delle** salsicce. = Vorrei **un po' di** salsicce.

	+ il	+ lo	+ la	+ l'	+ i	+ gli	+ le
di	del	dello	della	dell'	dei	degli	delle

PARTITIVO CON *NE* – PARTITIVE WITH *NE*

*The pronoun **ne** replaces a noun and is used to ask or give information on quantity.*

■ Quanto **ne** vuole?
● **Ne** vorrei <u>mezzo chilo</u>.

■ Hai dei fratelli?
● **Ne** ho <u>due</u>.

Non amo molto i dolci: **ne** mangio <u>pochi</u>.

ATTIVITÀ DI SCRITTURA • WRITING ACTIVITIES

1 Una ricetta
Write a recipe for a dish that you love to eat or prepare in a special way, also indicating the ingredients and the quantities necessary to prepare it.

2 Un piatto speciale
Imagine writing a post for a food blog: talk about a dish that is representative of your country, city or family, and on which occasions it is eaten, as well as with whom.

3 Come mangi?
Look at the pyramid depicting Italian food habits. What do you think are the biggest differences with respect to your own food habits?

dolci
(1-2 porzioni alla settimana)

carne rossa, uova
(2 porzioni alla settimana)

legumi, pesce, formaggi, carne bianca
(4 porzioni alla settimana)

latte (1 porzione al giorno)
olio di oliva (2 porzioni al giorno)

pane, pasta, riso, cereali
(3 porzioni al giorno)

frutta e verdura
(5-6 porzioni al giorno)

FOOD

aglio (m.)	garlic
biscotto (m.)	cookie
bistecca (f.)	steak
burro (m.)	butter
cacao (m.)	cocoa
calamaro (m.)	squid
carne (bianca, rossa, macinata…) (f.)	(white, red, minced…) meat
cereale (m.)	cereal
ciliegia (f.)	cherry
cipolla (f.)	onion
farina (f.)	flour
formaggio (fresco, stagionato…) (m.)	(fresh, aged…) cheese
frutta (f.)	fruit
insalata (f.)	salad
latte (intero, scremato…) (m.)	(whole, skimmed…) milk
legume (m.)	legume
mela (f.)	apple
miele (m.)	honey
mortadella (f.)	mortadella
olio (di oliva) (m.)	(olive) oil
oliva (verde, nera…) (f.)	(green, black…) olive
pancetta (f.)	bacon
panino (m.)	bun
panna (f.)	cream
patata (f.)	potatoe
pecorino (m.)	pecorino cheese
pepe (m.)	pepper
peperone (giallo, verde…) (m.)	(yellow, green…) sweet pepper
pesca (f.)	peach
pesce (m.)	fish
pollo (fritto) (m.)	(fried) chicken
pomodoro (m.)	tomato
prosciutto (crudo, cotto…) (m.)	ham*
riso (bianco, integrale…) (m.)	(white, brown…) rice
salame (m.)	salami
sale (m.)	salt
salsiccia (f.)	sausage
uova (f.)	egg
uva (nera, bianca) (f.)	(red, white) grape
verdura (f.)	vegetables
vino (bianco, rosso…) (m.)	(white, red…) wine
yogurt (bianco, alla frutta, intero, magro…) (m.)	(plain, fruit, whole, light…) yogurt
zucchero (m.)	sugar
zuppa (f.)	soup

MEASUREMENT UNITS

grammo	= g
etto	= hg
chilo	= kg
litro	= l

FOOD PACKAGING

pacco (m.)	package
tubetto (m.)	tube
vasetto (m.)	small jar

VERBS FOR COOKING

mischiare	to mix
grattugiare	to grate
aggiungere	to add
tagliare	to slice
bollire	to boil
buttare (gli spaghetti)	to throw in (the spaghetti)
cuocere	to cook
versare	to pour
montare	to whip, beat
raffreddare	to cool, chill, refrigerate
bagnare	to pour liquid over, to wet

COOKING UTENSILS

forchetta (f.)	fork
padella (f.)	frying pan
pentola (f.)	pot
fornello (m.)	burner
tazzina (f.)	demitasse
ciotola (f.)	bowl
teglia (f.)	baking pan
frigorifero (m.)	fridge

* **crudo** *is the raw, dried and cured ham known as "prosciutto", whereas* **cotto** *is the baked, more familiar ham*

L'ITALIA NEL PIATTO

1 *Match the following photographs with the descriptions below.*

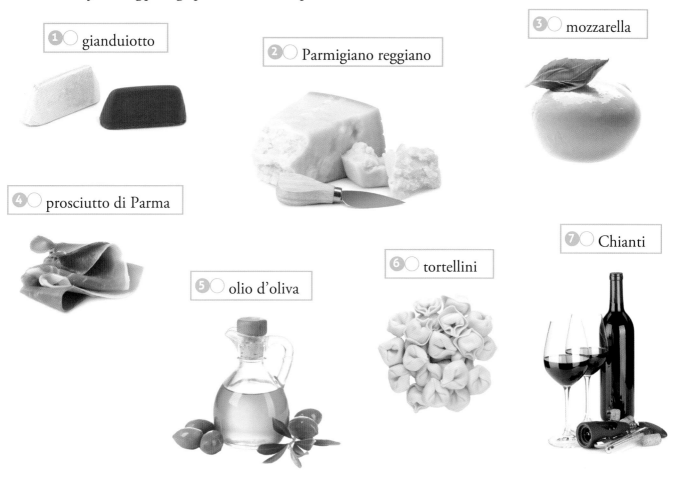

1 ◯ gianduiotto

2 ◯ Parmigiano reggiano

3 ◯ mozzarella

4 ◯ prosciutto di Parma

5 ◯ olio d'oliva

6 ◯ tortellini

7 ◯ Chianti

ⓐ È la base della dieta mediterranea. In Italia si usa solo extravergine.

ⓑ Uno degli affettati più conosciuti e apprezzati in Italia. Con il melone è un tipico antipasto italiano.

ⓒ È il vino italiano più esportato e conosciuto all'estero; prende il nome dalla zona della Toscana dove si produce.

ⓓ È il tradizionale cioccolatino torinese prodotto ancora oggi secondo un'antica ricetta.

ⓔ È sicuramente il formaggio più famoso d'Italia, dal sapore unico. Si mette su quasi tutti i tipi di pasta.

ⓕ È uno dei formaggi italiani più famosi al mondo, dal sapore fresco e leggero. Ideale in estate, si mangia con i pomodori nel tipico piatto chiamato "caprese".

ⓖ Sono un tipo di pasta tipico dell'Emilia Romagna, dalla forma molto caratteristica e dal classico ripieno di carne.

2 *Have you ever tasted one of the above mentioned products? Which one is easy to find in your country? Which one do you prefer?*

10 SAPORI D'ITALIA | videocorso
watch the video

Episodio 10: IL PANINO PERFETTO

1 *Look at the following frame before watching the episode: in your opinion, what does Federico want to buy in this shop?*

1 ○ carne   6 ○ frutta
2 ○ salse   7 ○ formaggio
3 ○ pesce   8 ○ pasta
4 ○ salame   9 ○ verdura
5 ○ prosciutto 10 ○ vino

2 *Still without watching the episode, look at the frames below and match them with the sentences in the list. Please note that one of the frames has no match. Then watch the episode and check your answers.*

❶ Un attimo, un attimo, per favore!   ❷ Fette sottili, però, eh! Così!

❸ Per un buon picnic deve avere almeno due tipi di panini.

a ○    **b** ○    **c** ○    **d** ○

3 *Look at the following frames and answer the questions.*

Eh, **si fa presto a** dire "panino"!

❶ Secondo te cosa significa l'espressione **si fa presto a…**?

   a ○ Sembra facile, ma in realtà è difficile.
   b ○ Sembra difficile, ma in realtà è facile.

La consulenza è gratis. Per il resto, se non vuole altro, sono 18 euro!

❷ Quale frase è l'equivalente di **la consulenza è gratis**?

   a ○ Non devi pagare niente per il consiglio.
   b ○ Ti faccio uno sconto sulla spesa.

FARE ACQUISTI

In this unit you will learn how to:
- talk and ask about events that will occur in the future
- shop for clothes and shoes
- describe one's look on special occasions

listen to
the recordings
of unit 11

Ti piace fare shopping?

Conosci degli stilisti italiani?

FARE ACQUISTI

1 LETTURA | Come si chiamano? • WB 1 / 2

Read the following descriptions, then write the people's names under the pictures below.

Fabrizio è sempre elegante. Oggi ha un completo grigio, una camicia bianca, una cravatta a righe e un impermeabile beige.

Vittoria si veste in modo sportivo. Oggi porta jeans aderenti, stivali, una giacca a vento blu e una maglia rossa a righe bianche.

A **Sandro** piacciono i pantaloni di pelle. Oggi indossa una giacca verde e una cintura marrone.

Per una festa oggi **Eleonora** ha indossato un vestito celeste sotto un cappotto blu. Ha scelto una piccola borsa nera e scarpe nere con i tacchi alti.

Eugenio preferisce i jeans e li mette spesso con le scarpe da ginnastica, con un maglione verde o giallo e con un giubbotto marrone.

Adriana ama l'abbigliamento classico. Oggi è andata in ufficio con una gonna nera, una camicia gialla e le scarpe basse.

❶ _____   ❷ _____   ❸ _____

❹ _____   ❺ _____   ❻ _____

2 COMBINAZIONI | Capi d'abbigliamento • WB 3

*Work with a partner. Write around the pictures of activity **1** the names of all items of clothing that you can find in the previous descriptions.*

 a righe    a quadri    di lana    di cotone    di seta    di pelle

Adjectives referring to colors function as any other adjective (thus agreeing in gender and number with the noun to which they refer): **una camicia rossa, i pantaloni verdi**, etc.
Some, though, never change: **blu, beige, rosa, viola** (*una camicia viola, un maglione viola, i pantaloni blu, la gonna blu...*).

3 ASCOLTO | *Cerco un maglione* • WB 4   41

a. *Close the book, listen to the recording, then work with a partner and share information on the conversation.*

b. *Now listen to the conversation again, then work with the same partner and choose the right options.*

❶ La signora vuole un maglione taglia
- ⓐ◯ 48 o 50.
- ⓑ◯ 50 o 52.
- ⓒ◯ 52 o 54.

❷ La signora non compra il primo maglione perché
- ⓐ◯ è troppo caro.
- ⓑ◯ è troppo giovanile.
- ⓒ◯ non è alla moda.

❸ Per la signora il secondo maglione è
- ⓐ◯ bello, ma un po' caro.
- ⓑ◯ bello ed economico.
- ⓒ◯ alla moda ed economico.

❹ La signora alla fine compra un maglione che costa
- ⓐ◯ 104 euro.
- ⓑ◯ 114 euro.
- ⓒ◯ 140 euro.

❺ Se al marito non sta bene il maglione,
- ⓐ◯ non lo può cambiare.
- ⓑ◯ lo può cambiare solo se ha lo scontrino.
- ⓒ◯ lo può cambiare anche senza scontrino.

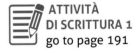 **ATTIVITÀ DI SCRITTURA 1** go to page 191

taglie donna			taglie uomo	
IT	AU, UK	US	IT	AU, UK, US
38	6	2	44	34
40	8	4	46	36
42	10	6	48	38
44	12	8	50	40
46	14	10	52	42
48	16	12	54	44
50	18	14	56	46

The expression **stare bene / stare male (a qualcuno)** are the equivalent of **to look good / to look bad (on someone)**:

*A Luca **stanno male** i pantaloni stretti. Questa gonna **ti sta** davvero **bene**!*

4 LETTURA | *Cambiamo il mondo con i vestiti!*
Read the following text.

1 | *Il pianeta ha bisogno di te!*

Ci sono tante cose che puoi fare per ridurre il tuo impatto ambientale, anche quando scegli cosa indossare.

Puoi salvare il mondo con l'abbigliamento?

5 | ✦ Sì, se cambierai le tue abitudini e inizierai a riciclare tutti i vestiti e gli accessori che non usi più: ci sono sempre più negozi e app per la compravendita di abbigliamento vintage e presto tutti acquisteremo e venderemo abiti usati.

✦ Sì, se investirai in abbigliamento di alta qualità che durerà
10 | più a lungo e sceglierai capi fatti con fibre biodegradabili e naturali.

✦ Sì, se leggerai sempre le etichette per verificare l'origine e la lavorazione dei capi di abbigliamento che vuoi comprare.

La moda sostenibile sarà la tendenza del futuro. Giorgio Armani ha già iniziato a produrre collezioni sostenibili e ha dichiarato: "Con i miei abiti
15 | porterò il messaggio ecologico in tutto il mondo." Come lui molte altre grandi case di moda italiane nei prossimi anni presenteranno collezioni completamente ecologiche che avranno come primo obiettivo la difesa dell'ambiente e della natura, senza rinunciare allo stile e all'eleganza.

Non solo alta moda!

20 | Non dovremo aspettare molto per avere vestiti sostenibili anche per il *prêt-à-porter*: tra pochi anni, quando andremo a fare shopping, vedremo anche nelle vetrine dei negozi comuni soprattutto abiti realizzati nel rispetto dell'ambiente.

5 RIFLETTIAMO | Il futuro semplice • WB 5 / 6 / 7

a. *In the previous article you found a verb tense which you are not familiar with yet: the* **futuro semplice**. *Read the article again and find all future forms of the verbs indicated in the table below, then write them next to their corresponding infinitive, as in the example.*

riga	infinito	verbo al futuro	persona
5	cambiare	cambierai	2ª singolare
5	iniziare		
8	acquistare		
8	vendere		
9	investire		
9	durare		
10	scegliere		
11	leggere		

riga	infinito	verbo al futuro	persona
13	essere		
15	portare		
16	presentare		
17	avere		
20	dovere		
21	andare		
22	vedere		

b. *Work with a partner: together complete the following table on* **futuro semplice** *with endings and examples.*

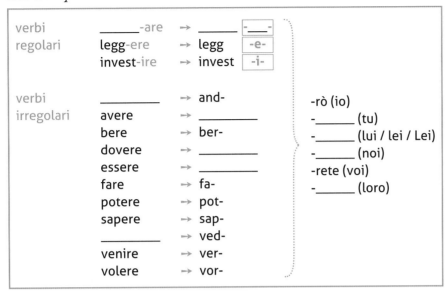

verbi regolari	_____-are	→	_____	-___-
	legg-ere	→	legg	-e-
	invest-ire	→	invest	-i-

verbi irregolari	_____	→	and-
	avere	→	_____
	bere	→	ber-
	dovere	→	_____
	essere	→	_____
	fare	→	fa-
	potere	→	pot-
	sapere	→	sap-
	_____	→	ved-
	venire	→	ver-
	volere	→	vor-

-rò (io)
-_____ (tu)
-_____ (lui / lei / Lei)
-_____ (noi)
-rete (voi)
-_____ (loro)

Le parole del futuro
più tardi = later
domani = tomorrow
domani mattina / domattina = tomorrow morning
la settimana prossima / la prossima settimana = next week
il prossimo fine settimana / weekend = next weekend
l'anno prossimo = next year
tra tre giorni = in three days
tra una settimana = in a week
tra sei mesi = in six months
prima o poi = sooner or later
un giorno = one day
presto = soon

6 ESERCIZIO SCRITTO | Futuro semplice ed espressioni di tempo
Write sentences to explain when you are planning to do the following things. Use the **futuro semplice***, as in the examples.*

Esempi:
• parlare perfettamente l'italiano → *L'anno prossimo parlerò perfettamente l'italiano.*
• tornare a casa → *Tornerò a casa tra due ore.*

• finire l'università
• comprare un paio di jeans
• avere un esame
• partecipare a un talent show
• uscire con gli amici
• andare in India

• imparare a fare la pasta in casa
• guidare una Ferrari
• sposarsi
• partire per una vacanza
• fare una torta
• scrivere un'e-mail

7 ESERCIZIO ORALE E SCRITTO | Futuro semplice ed espressioni di tempo

Go round the classroom and ask your classmates when they are planning to do the things mentioned in activity 6. Then write their answers down, as in the example. Try to interview as many students as you can.

Esempio:

You: Quando uscirai con gli amici?

Your classmate: Uscirò con gli amici stasera.

→ *You write down:*
Uscirà con gli amici stasera.

8 LETTURA | I pronomi indiretti e indiretti

a. *Read the chat between two friends.*

Ciao Sara, allora ci vediamo davanti al negozio, va bene? Viene anche Lia? **La** devo chiamare?

Ciao! No, **l'**ho chiamata io, ma non **le** ho ancora detto a che ora. Tua sorella viene?

No, ha un impegno. **Mi** ha detto di comprare qualcosa anche per lei: abbiamo la stessa taglia...

Sì, ma non gli stessi gusti...!

Sì, è vero! Se io compro dei pantaloni neri, lei **li** vuole bianchi; se prendo le scarpe alte, lei **le** vuole basse...

Beh, almeno sai cosa comprarle, no? Tutto quello che non piace a te! 😂

Ahaha, hai ragione! Senti, Edo non viene, vero? Cosa devo dir**gli**, per stasera?

Ah, già, l'aperitivo con Edo... Dai, **lo** chiamo io e **gli** spiego dove ci incontriamo.

Fantastico, grazie. Se non ha la macchina stasera puoi dir**gli** di chiamare Eva e Bea e chieder**gli** un passaggio.

Ah, ok, perfetto!

b. *The **highlighted** pronouns in the previous text are either direct (**pronomi diretti**, that you already know) or indirect (**pronomi indiretti**). Indirect pronouns usually replace an object which is preceded by the preposition **a**.*

> Esempio:
> Ah, già, l'aperitivo con Edo...
> Dai, **lo** chiamo io e **gli** spiego → Dai, chiamo io **Edo** e spiego **a Edo**
> dove ci incontriamo.   dove ci incontriamo.

*Fill in the following tables with the **highlighted** pronouns that you found in the previous text.*

	pronomi diretti	
	singolare	plurale
1ª persona	mi	ci
3ª persona femminile*		
3ª persona maschile		

	pronomi indiretti	
	singolare	plurale
1ª persona		ci
3ª persona femminile*		
3ª persona maschile		gli

* the feminine third person
is also used for the formal **you**:
*Signor Belli, domani **La** chiamo e **Le** dico
l'orario preciso del nostro appuntamento.*

> Like direct and reflexive pronouns, indirect pronouns come after infinitive verbs, with which they form a single word: *Cosa devo dir**gli** per stasera?*

9 ESERCIZIO SCRITTO | Pronomi indiretti • WB 8 / 9 / 10

*Change the following sentences replacing **highlighted** parts with indirect pronouns, as in the example.*

> Esempio:
> Ho suggerito **a Mario** di mettere la cravatta. → *Gli ho suggerito di mettere la cravatta.*

❶ Hanno promesso **alle figlie** di andare al centro commerciale domenica.

_____

❷ Puoi ricordare **a Sofia** di andare a cambiare il maglione?

_____

❸ La commessa ha consigliato **a Dario** queste scarpe da ginnastica.

_____

❹ Voglio comprare **a mia sorella** un paio di stivali rossi.

_____

❺ **A Lorenzo e a Stefano** sta veramente bene il nero.

_____

Alcuni verbi che si usano con i pronomi indiretti
dare (qualcosa a qualcuno): to give
dire (qualcosa a qualcuno): to say
mandare (qualcosa a qualcuno): to send
mostrare (qualcosa a qualcuno): to show

portare (qualcosa a qualcuno): to bring
promettere (qualcosa a qualcuno): to promise
scrivere (qualcosa a qualcuno): to write
telefonare (a qualcuno): to phone

10 **ESERCIZIO ORALE | Pronomi diretti e indiretti** • WB 11 / 12

*Work with a partner. Take turns throwing the dice and moving
forward by as many boxes as the number shown on the dice.
When one student stops on a box, he / she must complete the sentence
using the direct pronoun (la, lo, le, li) or the indirect pronoun
(le, gli, gli) which refers to the person / people shown in the picture,
as in the examples. If his / her sentence is correct, he / she can stay
where he / she is, otherwise he / she must go back to the previous box.
Then it's the other student's turn to throw the dice. The winner is
the student who first completes the last sentence correctly.*

Esempio:

(**diretto**) __Lo__
invitiamo al
matrimonio.

(**indiretto**) __Gli__
ho comprato
una
maglietta.

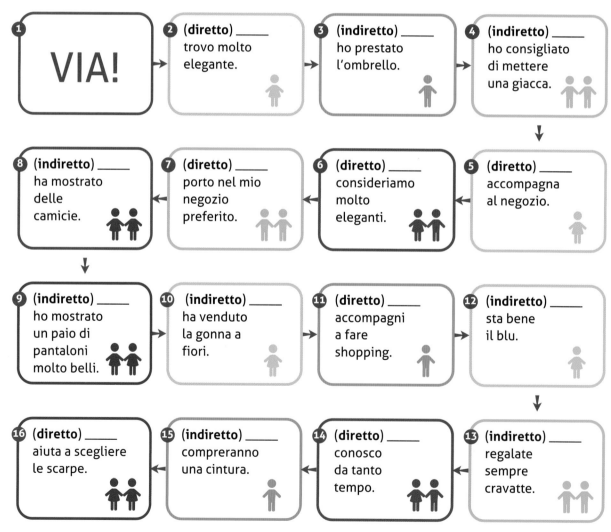

1 VIA!

2 (**diretto**) _____
trovo molto
elegante.

3 (**indiretto**) _____
ho prestato
l'ombrello.

4 (**indiretto**) _____
ho consigliato
di mettere
una giacca.

8 (**indiretto**) _____
ha mostrato
delle
camicie.

7 (**diretto**) _____
porto nel mio
negozio
preferito.

6 (**diretto**) _____
consideriamo
molto
eleganti.

5 (**diretto**) _____
accompagna
al negozio.

9 (**indiretto**) _____
ho mostrato
un paio di
pantaloni
molto belli.

10 (**indiretto**) _____
ha venduto
la gonna a
fiori.

11 (**diretto**) _____
accompagni
a fare
shopping.

12 (**indiretto**) _____
sta bene
il blu.

16 (**diretto**) _____
aiuta a scegliere
le scarpe.

15 (**indiretto**) _____
compreranno
una cintura.

14 (**diretto**) _____
conosco
da tanto
tempo.

13 (**indiretto**) _____
regalate
sempre
cravatte.

> *Piacere* + pronomi indiretti
> **Piacere** is the Italian equivalent of **to like**, though these two verbs do not work alike at all. In the sentence **I like black shoes** the subject is the person who expresses his / her preference (**I**) and the thing that the person prefers (**the shoes**) is a direct object; whereas in Italian, in the equivalent sentence **Mi piacciono le scarpe nere**, the subject is **le scarpe nere** (which explains why the verb is in the third plural person) and the person who has a preference is expressed by an indirect pronoun (**mi**).

ATTIVITÀ DI SCRITTURA 2
go to page 191

11 ESERCIZIO SCRITTO | Abbigliamento, *piacere* e pronomi indiretti

Complete the names of the following items of clothing with the words in the list. Then indicate whether the person / people shown in the picture like(s) or dislike(s) them, as in the example.

(basse) (blu) (rosa) (✔ grigia) (quadri) (tacchi alti) (neri) (nera)

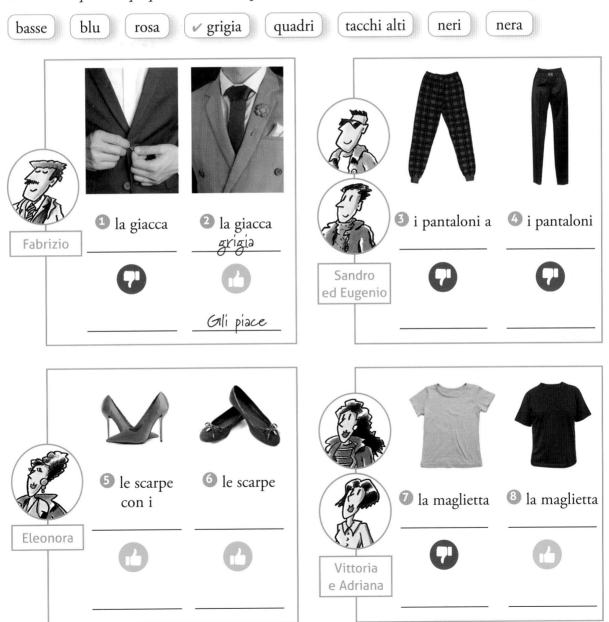

Fabrizio

❶ la giacca _____

❷ la giacca *grigia*

_____ *Gli piace*

Sandro ed Eugenio

❸ i pantaloni a _____

❹ i pantaloni _____

Eleonora

❺ le scarpe con i _____

❻ le scarpe _____

Vittoria e Adriana

❼ la maglietta _____

❽ la maglietta _____

12 ASCOLTO | In un negozio di calzature 42 🔊

a. *Close the book, listen to the recording, then work with a partner and share information on the conversation.*

b. *Listen to the conversation again and then write in the table below any word or expression used by the woman and the sales assistant to describe the shoes that the woman tries on.*

signora	commesso
primo paio di mocassini	
secondo paio di mocassini	
stivali	

scarpe donna			scarpe uomo		
IT	UK AU	US	IT	UK AU	US
36	3.5	6	41	7.5	8
37	4	6.5	42	8	8.5
38	5	7.5	43	8.5	9
39	6	8.5	44	10	10.5
40	6.5	9	45	11	11.5
41	7	9.5	46	11.5	12

13 RIFLETTIAMO | L'aggettivo dimostrativo *quello* • WB 13 / 14 / 15 / 16
Read the following sentences taken from the previous conversation.

❶ Vorrei provare **quei** mocassini neri in vetrina.
❷ Posso provare **quegli** stivali rossi?

Try to complete the following table.

	singolare	plurale	+ sostantivo che comincia con
maschile	quel		+ consonante
	quello		+ s + consonante o z
	quell'	quegli	+ vocale
femminile		quelle	+ consonante
	quell'		+ vocale

14 ESERCIZIO SCRITTO | L'aggettivo dimostrativo *quello*

Match the items on the left and right to rebuild the sentences.

1 ◯ Vorrei quella
2 ◯ Posso provare quel
3 ◯ Quanto costa quell'
4 ◯ Vorrei provare quei
5 ◯ Quanto costano quegli
6 ◯ Vorrei quelle

a impermeabile?
b pantaloni.
c maglione a righe?
d stivali?
e camicia azzurra.
f scarpe nere.

15 ESERCIZIO ORALE | *Che ne dice?*

Work with a partner. Look at the pictures and make short conversations as in the example, changing **highlighted** *elements each time. Then switch roles.*

Esempio:
■ Ti **piace quella giacca**?
▼ No, è troppo **pesante**. **La** vorrei **leggera**.

pesante / leggera

eleganti / sportivi

sportive / classiche

giovanile / classica

lungo / corto

larghi / stretti

Troppo means **too much**, **too many** or **too**.

Ho mangiato **troppo**.
⇀ *I ate too much.*
Ha **troppi** *vestiti.*
⇀ *He / She has too many clothes.*
Queste scarpe sono **troppo** *piccole.*
⇀ *These shoes are too small.*

16 PARLIAMO | *Come ti vesti?*

What would you wear in the following circumstances? Discuss with a partner.

| per andare al primo appuntamento con una persona che ti piace | per cercare un lavoro | per andare allo stadio |

| per andare a un matrimonio | per uscire con gli amici | per il pranzo di Natale |

ATTIVITÀ DI SCRITTURA 3
go to page 191

FUTURO SEMPLICE – FUTURE TENSE
CONIUGAZIONE REGOLARE – REGULAR CONJUGATION

	parlare	vendere	dormire	preferire
io	parl**erò**	vend**erò**	dorm**irò**	prefer**irò**
tu	parl**erai**	vend**erai**	dorm**irai**	prefer**irai**
lui / lei / Lei	parl**erà**	vend**erà**	dorm**irà**	prefer**irà**
noi	parl**eremo**	vend**eremo**	dorm**iremo**	prefer**iremo**
voi	parl**erete**	vend**erete**	dorm**irete**	prefer**irete**
loro	parl**eranno**	vend**eranno**	dorm**iranno**	prefer**iranno**

Verbs ending in -care / -gare in the infinitive take an extra -h- before the verb ending: cercare → cercherò, pagare → pagherò.

Verbs ending in -ciare / -giare lose the i: cominciare → comincerò, mangiare → mangerò.

VERBI + COMPLEMENTI DIRETTI E INDIRETTI –
VERBS + DIRECT AND INDIRECT PRONOUNS

Some verbs can be followed both by a direct and an indirect object (see boldtype in the table below).

chiedere	Chiedo **a Giulio** di venire. → **Gli** chiedo di venire. Chiedo **una spiegazione**. → **La** chiedo.
dare	Do **le chiavi** a Franco. → **Le** do a Franco. Diamo una mano **a Stefano**. → **Gli** diamo una mano.
dire	Dico **la verità**. → **La** dico. Ho detto **a Nina** di venire. → **Le** ho detto di venire.
leggere	Leggo **il giornale**. → **Lo** leggo. Leggo una storia **ai bambini**. → **Gli** leggo una storia.
mandare	Mando **il documento**. → **Lo** mando. Hai mandato l'invito **a Tina**? → **Le** hai mandato l'invito?
portare	Porto **il dolce**. → **Lo** porto. Che cosa porti **a Lena**? → Che cosa **le** porti?
raccontare	Racconta **la storia**. → **La** racconta. Racconta tutto **agli amici**. → **Gli** racconta tutto.
regalare	Regalo **il mio computer**. → **Lo** regalo. **A mia figlia** regalo una collana. → **Le** regalo una collana.
scrivere	Scrivo **un'e-mail**. → **La** scrivo. Scrivo **a Mauro**. → **Gli** scrivo.
vendere	Vendo **la mia macchina**. → **La** vendo. Vende la casa **al fratello**. → **Gli** vende la casa.

CONIUGAZIONE IRREGOLARE – IRREGULAR CONJUGATION

Some verbs use, in the future tense, an irregular root. The endings are identical to those of regular verbs.

andare	andr-	
avere	avr-	
cadere	cadr-	
dare	dar-	
dovere	dovr-	
essere	sar-	
fare	far-	-ò -ai -à -emo -ete -anno
potere	potr-	
rimanere	rimarr-	
sapere	sapr-	
stare	star-	
tenere	terr-	
vedere	vedr-	
venire	verr-	
vivere	vivr-	
volere	vorr-	

PRONOMI INDIRETTI – INDIRECT PRONOUNS

	pronomi indiretti	
	singolare	plurale
1ª persona	mi	ci
2ª persona	ti	vi
3ª persona femminile	le / Le	gli
3ª persona maschile	gli / Le	gli

L'AGGETTIVO DIMOSTRATIVO *QUELLO* – DEMONSTRATIVE ADJECTIVE *QUELLO*

The adjective **quello** *refers to an object or a person which / who is far from the speaker. It precedes the noun – with which it agrees in gender and number – and changes according to the first letter of the noun (like definite articles do).*

	singolare	plurale	+ sostantivo che comincia con:	
maschile	quel	quei	consonante	→ **quel v**estito, **quei v**estiti
	quello	quegli	s + consonante o z	→ **quello st**udente, **quegli st**udenti; **quello z**aino, **quegli z**aini
	quell'	quegli	vocale	→ **quell'a**ttore, **quegli a**ttori
femminile	quella	quelle	consonante	→ **quella g**iacca, **quelle g**iacche
	quell'	quelle	vocale	→ **quell'i**dea, **quelle i**dee

POCO, MOLTO, TANTO, TROPPO

Poco, molto, tanto, troppo can be used as adjectives, pronouns and adverbs.

As adjectives they agree in gender and number with the nouns to which they refer.

As adverbs they never change.

> Ho poc**a** pazienza.
> Hanno sempre tropp**e** cose da fare.
> Hai sempre molt**o** / tant**o** sonno.
> Ho mangiato **troppo**.
> Avete una casa **molto** / **tanto** bella.
> Abbiamo studiato **poco**.

✍️ ATTIVITÀ DI SCRITTURA · WRITING ACTIVITIES

1 E oggi come mi vesto?

Do you follow the latest fashion trends? Are you inspired by a particular designer or artist? Do you have a personal style? Write a short paragraph on this topic.

2 La moda del futuro

Imagine that you are a journalist and that you work for "Vogue Italia". You need to write an article on how people will dress in the future. You can write either on next season, or on what people will wear in upcoming decades or centuries.

3 Una mail di protesta

Imagine that you placed an order at an online clothing and accessories store, but you have received clothes or shoes in the wrong size or color. Write an email to dispute the item and request the correct product.

Buongiorno,
vi scrivo perché....

CLOTHING

completo (m.)	suit
camicia (f.)	button down shirt
cravatta (f.)	tie
impermeabile (m.)	raincoat
jeans (m., pl.)	jeans
stivale (m.)	boot
giacca (f.)	jacket
giacca a vento (f.)	windbreaker
maglia (f.)	shirt, jersey
pantaloni (m., pl.)	pants
vestito (m.)	dress
cappotto (m.)	coat
scarpe con i tacchi (f., pl.)	shoes with heels
scarpe basse (f., pl.)	flats
scarpe da ginnastica (f., pl.)	sneakers
maglione (m.)	sweater
giubbotto (m.)	bomber jacket
gonna (f.)	skirt

COLORS

1° tipo

	maschile	femminile
singolare	nero	nera
plurale	neri	nere

bianco	white	nero	black
giallo	yellow	rosso	red
grigio	gray		

2° tipo

	maschile	femminile
singolare	marrone	marrone
plurale	marroni	marroni

arancione	orange	marrone	brown
celeste	sky blue	verde	green

invariabili

	maschile	femminile
singolare	blu	blu
plurale	blu	blu

beige	beige	rosa	pink
blu	blue	viola	purple

ACCESSORIES

cintura (f.)	belt
borsa (f.)	bag

FABRICS

lana (f.)	wool
cotone (m.)	cotton
seta (f.)	silk
pelle (f.)	leather

PATTERNS

a righe	striped
a quadri	checkered, plaid

ADJECTIVES

elegante	elegant
sportivo	casual
aderente	tight
giovanile	young-looking

TIME INDICATORS

più tardi	later
domani	tomorrow
domani mattina, domattina	tomorrow morning
la settimana prossima, la prossima settimana	next week
il prossimo fine settimana	next weekend
l'anno prossimo, il prossimo anno	next year
tra tre giorni	in three days
prima o poi	sooner or later
un giorno	one day
presto	soon

LA MODA ITALIANA

1 *Fashion is one of the epitomes of Italian know-how. Italian top-notch fashion designers are worldwide celebrities. Below you will find a short description of some of them. Read the paragraphs and match them with the appropriate photographs.*

❶ Valentino
È il simbolo di un'eleganza classica e senza tempo. Il rosso è il suo colore preferito.

❷ Versace
È famoso per il suo stile aggressivo. Usa in modo originale materiali non naturali e tecnologici.

❸ Armani
È forse lo stilista italiano più imitato e conosciuto nel mondo. Ha uno stile essenziale e minimalista. Il simbolo della sua produzione è la giacca. È famoso anche per l'uso del colore blu, che prende il suo nome ("blu Armani").

❹ Dolce e Gabbana
I due stilisti propongono un look trasgressivo e appariscente, che riprende in chiave moderna la tradizione mediterranea.

❺ Prada, Gucci e Ferragamo
Sono le marche più conosciute per la produzione di accessori (scarpe, borse, cinture, ecc.).

2 *Do you know any of the above mentioned fashion designers? Are they well known in your country? Whom do you prefer? Do you know any other Italian fashion designer?*

FARE ACQUISTI | videocorso
watch the video

Episodio 11: COME MI STA?

1 *Before watching the episode, look at the three frames below and match them with the sentences in the list. Please note that one of the sentences has no match. Then watch the episode and check your answers.*

> ❶ Certo, signore. Le camicie da uomo sono da questa parte. ❷ Matteo! Come mi sta?

> ❸ Sì, in effetti forse è un po' stretta! ❹ Senti, io entro per provarlo.

ⓐ○  ⓑ○  ⓒ○

2 *Match questions and answers.*

questions

ⓐ○ Buongiorno, posso aiutarla?
ⓑ○ Che taglia porti?
ⓒ○ Come mi sta?

answers

❶ Be', a me piace… uno dei colori del vestito.
❷ Sì, cerco una camicia.
❸ Mah, non so, la 40…

3 *Complete each of the following sentences choosing the correct option.*

❶ Valentina entra nel negozio
- ⓐ○ perché le piace un vestito.
- ⓑ○ perché conosce la commessa.
- ⓒ○ perché Matteo non ha camicie.

❷ Il vestito che Valentina prova
- ⓐ○ piace molto anche a Matteo.
- ⓑ○ non piace a Matteo.
- ⓒ○ secondo Matteo è stretto.

❸ Valentina sceglie per Matteo
- ⓐ○ una camicia molto colorata.
- ⓑ○ una camicia molto elegante.
- ⓒ○ una camicia sportiva ma elegante.

4 *Look at the photograph and write what Valentina and Matteo are wearing.*

Valentina indossa…	Matteo indossa…

IL MONDO CHE CAMBIA

In this unit you will learn how to:
- talk about technology and your relationship with it
- recall events that have been repeated several times in the past
- talk about your younger days
- express your opinion on the advantages and disadvantages of technology

listen to
the recordings
of unit 12

Qual è il tuo rapporto con la tecnologia?

Cosa sai del tempo in cui non esisteva ancora internet?

12 IL MONDO CHE CAMBIA

1 LETTURA | Le innovazioni del 21° secolo cha hanno cambiato il mondo · WB 1

a. *Read the texts and then match them with the correct images, as in the example.*

Dal 2000 a oggi abbiamo visto un'evoluzione tecnologica senza precedenti. Ecco alcune innovazioni tecnologiche che hanno avuto un grande impatto sulle nostre vite.

a ④ Una tecnologia operativa dal 2000, che permette di far dialogare i dispositivi anche se non c'è connessione internet. — **2000**

b ◯ Un'enciclopedia online che dà accesso a un'immensa quantità di contenuti, liberi e gratuiti. È basata sulla partecipazione degli utenti. Sopravvive solo grazie alle donazioni. — **2001**

c ◯ Il primo software che fa parlare, gratuitamente e faccia a faccia, persone che si trovavano in nazioni o continenti diversi. — **2003**

d ◯ Non è stato il primo né l'ultimo social media, ma è certamente il più trasversale e ad oggi il più diffuso. Ha cambiato internet, il modo di comunicare, vendere e fare pubblicità. — **2004**

e ◯ Tutto è cominciato con *Me at the zoo*: il primo video caricato che riprendeva uno dei fondatori della piattaforma allo zoo, davanti al recinto degli elefanti. — **2005**

f ◯ È diventato un computer in miniatura con una tecnologia sempre più perfezionata, che può fare le operazioni più varie in maniera semplice e intuitiva. — **2007**

g ◯ Un'app di condivisione di foto e video che ha rivoluzionato il modo di fare comunicazione. — **2010**

b. *Which of these inventions is essential to your everyday life?*
   Which of these inventions can you not give up?

2 PARLIAMO | Sondaggio sui social media

Form small groups, carry out a survey using the following questions and take notes.
Then report your findings to the rest of the class.

- Quanti e quali social network usi?
- Se non li usi, perché?
- Qual è il tuo social network preferito?
- In quali momenti della giornata stai più sui social?
- In generale, per quale motivo apri i social?
- Quanto spesso pubblichi contenuti?
- Secondo te quali sono gli aspetti positivi
  e negativi dei social media?

3 ASCOLTO | Storia dei social media

43 (◄▶

a. *Close your book, listen to the conversation, and then work with a partner:*
compare the information that you have both gathered from the conversation.

b. *Select the correct opinion(s).*

❶ La Professoressa Morelli afferma che prima del 1997
    a ○ già esistevano delle reti informatiche che permettevano di comunicare.
    b ○ non esistevano ancora delle reti informatiche che permettevano di comunicare.

❷ La Professoressa Morelli dice che secondo lei la tecnologia
    a ○ presenta molti svantaggi per la nostra vita.
    b ○ in generale porta più vantaggi che svantaggi alla nostra vita.

❸ Quando era piccola la Professoressa Morelli
    a ○ non aveva un computer.   **c** ○ giocava con i videogiochi.
    b ○ aveva un computer.   **d** ○ non giocava con i videogiochi.

4 LETTURA | Sondaggio sui social media

Read the survey. Do any of the responses reflect your own opinion? Compare your ideas with a partner's.

> **Buongiorno! Oggi vogliamo lanciare questo sondaggio. Qual è il vostro rapporto con i social media e quale social preferite? Ricordate come era la vostra vita prima di usarlo?**

Paolo Risi Ho cominciato a usare i social pochi anni fa. Sono un po' più vecchio della media degli utenti dei social e inizialmente ero abbastanza scettico. Prima navigavo di più su vari siti e sicuramente leggevo più libri, poi ho capito che con i social potevo accedere a moltissime informazioni e conoscere persone diverse. Ho veramente cambiato idea.

Agata Giusti Quando sono nata i social esistevano già e quindi per me è difficile pensare come facevate a vivere e a lavorare senza. Io uso molti social diversi, ma al momento il mio preferito è TikTok perché è divertente e veloce.

Francesco Mattei Secondo me non è tanto una questione di età, ma di stile di vita e di tipologia di lavoro. Io sono un traduttore e lavoro principalmente online. Per me i social sono tutti utili e li uso tutti. Non ricordo bene come facevamo prima: sicuramente le comunicazioni erano più lente, perdevamo più tempo, avevamo meno possibilità. Io personalmente uso molto LinkedIn per questioni lavorative.

Nora Agostini Quando mi dicevano che i social media erano potentissimi, non lo capivo bene. Poi ho pensato di usare Instagram per vendere i vestiti che creo e ha funzionato! Prima dovevo sempre cercare io i clienti, ora sono loro che contattano me. La mia vita prima dei social? Era molto diversa perché... non avevo un lavoro!

5 RIFLETTIAMO | L'imperfetto • WB 2 / 3 / 4

*In the text you have just read in activity **4**, not only is the **passato prossimo** used to talk about past actions, but also a new tense called the **imperfetto**. Look in the text for verbs conjugated in the **imperfetto**: how many do you think there are? Next, fill in the chart below.*

verbi regolari	navig**are** → naviga- av**ere** → ave- cap**ire** → capi-	-____ (io) -vi (tu) -va (lui / lei / Lei) -____ (noi) -____ (voi) -____ (loro)
verbi irregolari	fa**re** → face- be**re** → beve- di**re** → dice-	

	essere
io	____
tu	eri
lui / lei / Lei	
noi	eravamo
voi	eravate
loro	____

Esempi:

- avevamo meno possibilità
- con i social potevo accedere a moltissime informazioni
- Prima dovevo sempre cercare io i clienti.
- non avevo un lavoro

ATTIVITÀ DI SCRITTURA 1 go to page 205

b. *Here are some sentences taken from the previous article. Read them and decide what the* **imperfetto** *tense is used for (function* ❶ *or function* ❷*).*

> ❶ *The* **imperfetto** *is used to describe things, people, or situations in the past.*
> ❷ *The* **imperfetto** *is used to talk about habitual past actions.*

ⓐ◯ Quando sono nata, i social **esistevano** già.
ⓑ◯ Prima **navigavo** di più su vari siti e sicuramente **leggevo** più libri.
ⓒ◯ Le comunicazioni **erano** più lente, **perdevamo** più tempo, **avevamo** meno possibilità.
ⓓ◯ Prima **dovevo** sempre cercare io i clienti.

6 ESERCIZIO SCRITTO E ORALE | *Quando ero...* • WB 5 / 6 / 7
Read the questions and write down your answers, conjugating the verbs in the **imperfetto**. *Then work with a partner: take turns asking and answering each other's questions, as in the example. How many answers do you have in common?*

Esempio:
Quale (*essere*) tuo gioco preferito?
■ Quando eri piccolo/a, qual **era** il tuo gioco preferito?
▼ **Era** nascondino*. E il tuo?
■ Anche il mio. / Il mio **era** moscacieca**.

* hide and seek / ** blind man's buff

Quale videogame (*preferire*)?
(*Avere*) uno smartphone?
Per quante ore al giorno (*guardare*) la TV?
Ti (*piacere*) i computer?
Cosa (*volere*) fare da grande?
Qual (*essere*) il tuo programma televisivo preferito?

7 ESERCIZIO ORALE | *Da piccola aveva un computer?*
Work with a partner. Repeat the following dialogue by replacing the subjects, as in the example. Then switch roles. In sentences ❶*,* ❷*, and* ❸*, choose whether the subject is masculine or feminine.*

Esempi:

(Lei (femminile formale)) (Io (femminile))

■ Da piccola aveva un computer?
▼ Sì, avevo un computer.
■ E giocava con i videogiochi?
▼ Sì, e mi divertivo molto!

(Lui) (Lui)

■ Da piccolo aveva un computer?
▼ Sì, aveva un computer.
■ E giocava con i videogiochi?
▼ Sì, e si divertiva molto!

❶  (Voi) (Noi)   ❸ (Tu) (Io)
❷ 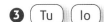 (Loro) (Loro)   ❹ (Lei) (Lei)

8 ASCOLTO | *Tu dove andavi in vacanza?*   44 ((▶

   a. *Close the book, listen to the recording, then work with a partner and share information*
   on the conversation.

   b. *Listen again to the recording and check if the sentences are true or false.*

		true	false
❶	In estate Giovanni partiva per le vacanze.	○	○
❷	Tutte le mattine andava in spiaggia a piedi.	○	○
❸	A 13 anni Giovanni ha fatto una vacanza in montagna.	○	○
❹	Secondo la donna, i viaggi all'estero non sono cambiati negli ultimi anni.	○	○

9 RIFLETTIAMO | Imperfetto o passato prossimo? • WB 8 / 9 / 10   44 ((▶

   a. *Listen to the dialogue again and <u>underline</u> the correct verb.*

   ■ Ma dai? E dove **hai abitato / abitavi**?

   ▼ In Sardegna, a Cagliari. **Abbiamo avuto / Avevamo** una bella casa in centro.
   Normalmente l'estate **siamo andati / andavamo** sempre alla spiaggia della città, il Poetto.
   [...] Di solito la mattina **abbiamo preso / prendevamo** il bus, **siamo andati / andavamo** in
   spiaggia e **siamo restati / restavamo** lì tutto il giorno.
   [...]

   ■ E non avete mai fatto un viaggio?

   ▼ Sì, una volta, quando **ho avuto / avevo** 13 anni, **siamo andati / andavamo** una settimana
   a Nizza in Francia, a trovare degli amici di mio padre. Quella è **stata / era** la prima volta
   che **siamo partiti / partivamo** veramente per le vacanze…

   b. *Select the correct option and complete the rules.*

   ❶ With the temporal expressions **normalmente** and **di solito**, we often use
      ⓐ○ the **passato prossimo**   **ⓑ**○ the **imperfetto**.

   ❷ In the last paragraph, the verb tense that is mainly used is
      ⓐ○ the **passato prossimo**   **ⓑ**○ the **imperfetto**.

   Why do you think this is?

   ATTIVITÀ
   DI SCRITTURA 2
   go to page 205

10 COMBINAZIONI | *Normalmente..., ma una volta...*
   Create some sentences, as in the example.

Esempio:
Normalmente **studiavo** in biblioteca, ma una volta **ho studiato** a casa.

	andare a scuola a piedi		dire una bugia.
Di solito	essere sincero/a	ma una volta →	studiare a casa.
Normalmente	andare in vacanza al mare	ma 5 anni fa	passare le vacanze in montagna.
Da bambino/a	viaggiare con la famiglia	ma a 13 anni	prendere la bicicletta.
	studiare in biblioteca		fare un viaggio da solo.

11 PARLIAMO | *E tu?*

Where would you usually spend vacation? Do you recall ever having taken a vacation that was different from the usual? Discuss it with a partner.

12 LETTURA | Viaggiare oggi

ATTIVITÀ
DI SCRITTURA 3
go to page 205

a. *These percentages refer to the opinions of travellers on vacation today versus ten years ago. What are your thoughts on this?*

> Il **51%**
> delle persone viaggia in generale molto più di un tempo.

> Il **48%**
> afferma che viaggiare oggi è più facile.

> **1** persona su **5**
> fa più viaggi internazionali di un tempo.

b. *Read the following article.*

In passato le vacanze all'estero erano costose, difficili da organizzare e non era possibile definire tutti i dettagli in anticipo: spesso, mentre viaggiavano, i turisti dovevano essere pronti a cambiare il loro programma. Grazie ai progressi tecnologici, oggi possiamo prenotare un viaggio con un semplice click e conoscere subito le caratteristiche della nostra destinazione. Negli ultimi anni, infatti, sempre meno viaggiatori hanno cambiato la loro sistemazione mentre erano in vacanza perché diversa da quella che pensavano.

Anche l'età dei primi viaggi è cambiata. I Baby Boomer (persone nate intorno agli '50) erano viaggiatori curiosi che volevano conoscere il mondo, ma in media partivano per la loro prima vacanza all'estero quando avevano 19 anni. Oggi invece, in Europa i ragazzi cominciano a fare viaggi internazionali già durante  la loro infanzia, grazie all'assenza delle frontiere fra Stati europei. Quando esistevano ancora i confini nazionali, viaggiare era più complesso, mentre ora c'è una grande libertà di movimento. La riduzione dei costi ha reso più frequenti i viaggi in luoghi esotici e per questo sempre più viaggiatori li hanno scelti come meta delle loro vacanze.

Negli ultimi anni la percentuale di viaggiatori europei che passa le vacanze nel proprio Paese è diminuita del 4%, la loro destinazione internazionale preferita sono gli Stati Uniti.

E il turismo americano? In generale gli statunitensi non trascorrono le vacanze all'estero. Nell'ultimo anno solo il 6% dei viaggiatori americani le ha passate fuori dal proprio Paese. Dobbiamo però considerare le distanze interne: un volo da Miami a Seattle dura più di sei ore, uno da Londra a Mosca, tre ore e quaranta minuti!

adattato da TravelTroughGenerations

c. *What do these listed numbers refer to? Fill in the boxes with the information from the text, as in the example.*

> **19**
> _____

> **-4%**
> _____

> **'50**
> *periodo in cui sono nati i Baby Boomer*

> **6%**
> _____

13 RIFLETTIAMO | Uso dell'imperfetto · WB 11 / 12 / 13

*Read the sentences taken from the previous text (activity **12**), identify the verbs in the **imperfetto**, and match each definition with the correct sentence it refers to, as in the example.*

1 ⓑ Spesso, mentre viaggiavano, i turisti dovevano essere pronti a cambiare il loro programma.

----

2 ○ Sempre meno viaggiatori hanno cambiato la loro sistemazione mentre erano in vacanza.

----

3 ○ I Baby Boomer erano viaggiatori curiosi che volevano conoscere il mondo.

----

4 ○ Quando esistevano ancora i confini nazionali, viaggiare era più complesso.

ⓐ The **imperfetto** is used to describe a situation that lasted for an indefinite amount of time in the past (of which neither the beginning nor the end is known).

ⓑ The **imperfetto** is used to describe a series of past events happening at the same time.

ⓒ If an action is not yet completed when another one begins, the first action is expressed with the **imperfetto**, while the one that begins is expressed with the **passato prossimo**.

ⓓ The **imperfetto** is used to describe people or objects in the past.

14 ESERCIZIO SCRITTO E ORALE | *Mentre...*

*Working individually, write down some sentences by matching the images with the green border with those with the blue one. For the images with the green border use **mentre** + **imperfetto**, and for those with the blue border use the **passato prossimo**. Next, work with a partner. **Student** A starts a sentence, and **Student** B completes it with his or her answer. How many combinations do you have in common?*

Esempio:

A: Mentre Livia e le sue amiche **andavano** in macchina...

B: ... **hanno visto** una giraffa per strada.

1    **2**    **3**    **4**

ⓐ 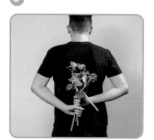   **ⓑ**    **ⓒ**    **ⓓ**

15 RIFLETTIAMO | L'accordo tra pronome diretto e participio passato · WB 14/15/16/17
*Read the following two sentences taken from the text in activity **12** and try to answer the questions.*

a La riduzione dei costi ha reso più frequenti i viaggi in luoghi esotici e per questo sempre più viaggiatori li hanno scelti come meta delle loro vacanze.

b In generale gli statunitensi non trascorrono le vacanze all'estero. Nell'ultimo anno solo il 6% dei viaggiatori americani le ha passate fuori dal proprio Paese.

*In two instances, the verbs in the **passato prossimo** are preceded by a pronoun.*

1 *Which type of pronoun is it?* _____

2 *In the two sentences, what is the pronoun referring to?*
a _____ **b** _____

3 *What happens to the **passato prossimo** when it is preceded by this type of pronoun?*
_____

16 ESERCIZIO SCRITTO | Pronomi diretti e participio passato
Change the list into positive ✔ *or negative* ✘ *sentences using a pronoun, as in the example.*

Esempio:
✘ caricare il cellulare
Non l'ho caricato.

✔ cambiare le cuffiette del telefono   ✔ leggere le e-mail
✔ vedere i video   ✘ ricaricare la batteria al pc
✘ ascoltare i messaggi vocali   ✔ riavviare il computer

17 ESERCIZIO ORALE | Pronomi diretti e participio passato
Here is a list of things that you had to do this week. Pick four things that you did.
Your partner should try to find out what they are, in only six questions.

Esempio:
• comprare i biglietti per il teatro
■ Hai comprato i biglietti per il teatro?
▼ Sì, li ho comprati. / ▼ No, non li ho comprati.

• comprare i biglietti per il concerto
• fare la spesa
• pulire la tua stanza
• preparare gli esami
• chiamare la tua migliore amica

• vedere un film
• lavare i vestiti
• aggiornare il tuo profilo LinkedIn
• incontrare le tue sorelle
• fissare un appuntamento dal dentista

IMPERFETTO

	verbi regolari				verbi irregolari			
	parlare	avere	dormire	preferire	essere	bere	dire	fare
io	parl**avo**	av**evo**	dorm**ivo**	prefer**ivo**	ero	bevevo	dicevo	facevo
tu	parl**avi**	av**evi**	dorm**ivi**	prefer**ivi**	eri	bevevi	dicevi	facevi
lui / lei / Lei	parl**ava**	av**eva**	dorm**iva**	prefer**iva**	era	beveva	diceva	faceva
noi	parl**avamo**	av**evamo**	dorm**ivamo**	prefer**ivamo**	eravamo	bevevamo	dicevamo	facevamo
voi	parl**avate**	av**evate**	dorm**ivate**	prefer**ivate**	eravate	bevevate	dicevate	facevate
loro	parl**avano**	av**evano**	dorm**ivano**	prefer**ivano**	erano	bevevano	dicevano	facevano

*The **imperfetto** past tense is used to:*
- *relate actions which occurred repeatedly,*
- *describe how things and people were and what they looked like,*
- *describe contexts and situations.*

*The **imperfetto** is often used in combination with time expressions such as **normalmente**, **generalmente** and **di solito**.*

Da bambina **andavo** spesso in montagna.
Mia nonna **era** molto bella.
Alla festa **c'era** molta gente.

Normalmente d'estate **andavo** al mare.
Di solito la sera **andavamo** a ballare.

PASSATO PROSSIMO VS IMPERFETTO

*The **passato prossimo** relates to:*
- *completed actions in the past,*

- *actions which only happened once or a definite number of times.*

*The **imperfetto** refers to:*
- *past situations of indefinite duration,*
- *actions that occurred repeatedly.*

When one wants to describe several actions in the past:
- *the **passato prossimo** is used to talk about events which occurred in a sequence, one after the other,*
- *the **imperfetto** is used to talk about a series of events of indefinite duration which happened simultaneously.*

*If an action was not over yet when another one began, the first one is in the **imperfetto** and the next one is in the **passato prossimo** (in the past the conjunction **mentre** is always followed by the **imperfetto**).*

Ieri Paola **è andata** al cinema.
Martedì **siamo tornati** tardi.
Sono stata a Vienna due volte.

I miei nonni **abitavano** in campagna.
Studiavamo sempre il pomeriggio.

Sono uscito di casa, **ho comprato** un giornale e **sono andato** al bar.
Mentre **guidavo**, Carlo **controllava** la mappa.

Mentre **leggevo, è entrata** una ragazza.
È entrata una ragazza mentre **leggevo**.

PARTICIPIO PASSATO E PRONOMI DIRETTI – PAST PARTICIPLE AND DIRECT PRONOUNS

*When the **passato prossimo** is preceded by the direct pronouns **lo, la, li, le**, the past participle agrees in gender and number with the pronoun.*

lo	■ Hai visto <u>il film</u>? ▼ Sì, l'ho vist**o**.	la	■ Hai chiuso <u>la finestra</u>? ▼ Sì, l'ho chius**a**.
li	■ Hai chiamato <u>i ragazzi</u>? ▼ Sì, li ho chiamat**i**.	le	■ Hai comprato <u>le mele</u>? ▼ No, ancora non le ho comprat**e**.

 ATTIVITÀ DI SCRITTURA · WRITING ACTIVITIES

1 **Sondaggio sui social media**
Respond to the survey from activity 4 (page 198), describing your personal experience.

2 **Quando ero bambino/a...**
How did you spend your vacations and holidays when you were little?
Where did you spend them and what did you do?

3 **Generazioni di viaggiatori**
Look at the two infographics and write a short newspaper article using the information that you are able to gather from the images.

GENERAZIONE Y		BABY BOOMER
9 ANNI	PRIMA VACANZA ALL'ESTERO	19 ANNI
54%	HA VIAGGIATO ALL'ESTERO PRIMA DEI 5 ANNI	19 %
10	VIAGGI FATTI PRIMA DEI 12 ANNI	5
6	PAESI VISITATI PRIMA DEI 18 ANNI	3

PRIMA VACANZA ALL'ESTERO (dati basati sull'intera popolazione, divisi per nazionalità)

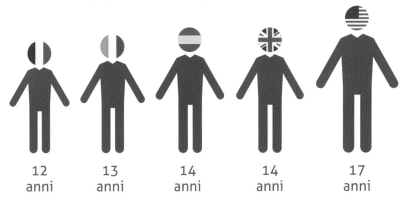

| 12 anni | 13 anni | 14 anni | 14 anni | 17 anni |

(adattato da TravelTroughGenerations)

TECHNOLOGY

cliente (m./f.)	customer
condivisione (f.)	sharing
connessione (f.)	connection
contenuto (m.)	content
dispositivo (m.)	device
enciclopedia (f.)	encyclopedia
evoluzione (f.)	evolution
fondatore / fondatrice (m./f.)	founder
impatto (m.)	impact
innovazione (f.)	innovation
piattaforma (f.)	platform
programma televisivo (m.)	TV show
progresso (m.)	progress
rete (f.)	network
sito (m.)	website
tecnologia (f.)	technology
utente (m./f.)	user
video (m.)	video
videogioco (m.)	videogame

TRAVELS

confine (m.)	border
destinazione (f.)	destination
distanza (f.)	distance
estero (m.)	abroad
frontiera (f.)	border
luogo esotico (m.)	exotic place
meta (f.)	destination
sistemazione (f.)	accomodation
turista (m./f.)	tourist
viaggiatore / viaggiatrice (m./f.)	traveler
viaggio internazionale (m.)	international travel

ACTIONS

cambiare idea	to change one's mind
caricare	to upload
comunicare	to communicate
contattare	to contact
conversare	to converse
creare	to create
dare accesso	to give access
diminuire	to decrease
diventare	to become
fare pubblicità	to advertise
navigare su internet	to surf the internet
organizzare	to organize, to plan
perdere tempo	to waste time
permettere	to allow
prenotare	to book
riprendere	to shoot
rivoluzionare	to revolutionize
sopravvivere	to survive

ADJECTIVES

complesso	complex
curioso	curious
diffuso	widespread
gratuito	free
immenso	immense
intuitivo	intuitive
lento	slow
potente	powerful
scettico	skeptical
semplice	simple
tecnologico	technological
trasversale	trasversal
utile	useful
veloce	fast

TIME AND FREQUENCY INDICATORS

da bambino/a	as a child
di solito	usually
generalmente	generally
normalmente	normally
una volta	once
mentre	while

LA STORIA DELL'ITALIA MODERNA IN SEI OGGETTI

1 *The 20th century was a period of great changes also in Italy, where some products have revolutionized Italian daily life and, thanks to their design, have also become symbols of Italian aesthetics and style throughout the world. Do you recognize them? Match the images with the text.*

1◯

L'abitudine di bere un buon caffè, per gli italiani, è diventata un piacere quotidiano da quando Alfonso Bialetti ha ideato nel 1933 questo prodotto di design famoso in tutto il mondo, presente nella collezione permanente del Triennale Design Museum di Milano e del MoMA di New York.

2◯

Protagonista della vita degli italiani a partire dalla fine della Seconda guerra Mondiale e riconoscibile in tantissimi classici del cinema, questo mezzo di trasporto è nato nel 1946 grazie all'ingegnere Corradino D'Ascanio.

3◯

Se agli italiani piace parlare è anche grazie a questo apparecchio: il modello più diffuso è stato quello progettato da Lino Saltini nel 1962, che proprio in quel periodo la Società Telefonica italiana ha portato nelle case di tutti gli italiani. Oggi questo modello ha un sapore vintage, che risveglia un sentimento di dolce malinconia per il passato.

4◯

Negli anni Cinquanta, l'Olivetti era quello che ora è la Apple: tecnologia, innovazione, idee per modellare il futuro e migliorare le condizioni dei lavoratori. L'architetto e designer Marcello Nizzoli ha realizzato per questa grande azienda il suo prodotto più famoso e diffuso, che nel 1963, con il modello portatile, ha avuto un grandissimo successo tra gli studenti e i giornalisti di tutto il mondo.

5◯

Humphrey Bogart in *Casablanca*, Harrison Ford nel ruolo di Indiana Jones e i Blues Brothers devono il loro successo anche all'azienda italiana Borsalino attiva sin dal 1857, che ha definito il loro look, grazie a un accessorio iconico.

6◯

Nel 1957, il presidente della Fiat Giovanni Agnelli presenta un nuovo prodotto che cambierà per sempre la vita degli italiani: una macchina piccola ed economica che tutti possono comprare. L'arrivo di questo mezzo di trasporto è sicuramente uno dei più grandi momenti di cambiamento dell'Italia di quel periodo. Ancora oggi è un simbolo del Made in Italy.

12 IL MONDO CHE CAMBIA | videocorso

watch the video

EPISODIO 12: DA BAMBINA ABITAVO QUI

1 *Watch the frame and select the appropriate option. Then watch the episode and check your answer.*

a◯ Correvo con la bicicletta… Avevamo una gattina, Milù…

b◯ C'era un ragazzo… Abitava lì.

c◯ Da ragazzina, invece, d'estate venivo qui a leggere e a prendere il sole.

2 *Watch the episode again and select the correct option.*

❶ Laura è tornata a casa dei suoi genitori
  a◯ per rivedere le sue vecchie fotografie.
  b◯ per riprendere i suoi libri.

❷ Da ragazzina,
  a◯ Laura aveva un fidanzato che abitava vicino.
  b◯ Laura aveva un vicino innamorato di lei.

❸ Federico, a 16 anni,
  a◯ è andato a vivere a Milano.
  b◯ è andato a vedere un concerto lontano da casa.

3 *Complete the following sentences by conjugating the verbs in brackets in the **passato prossimo** or in the **imperfetto**.*

a In questo terrazzo (*io – passare*) _____ la mia infanzia.

b ■ Be', qui non (*io – essere*) _____ tanto bambina, (*io – avere*) _____ 17 anni…
  Guarda: qui (*io – essere*) _____ al concerto degli Oasis! Guarda che minigonna, mamma
  mia che vergogna! Tu da ragazzo (*andare*) _____ ai concerti?
  ▼ Come no! Ma a me (*piacere*) _____ l'Heavy Metal.

4 *Do you remember what **Ma dai!** means? Look at the frame below and choose the expressions which have the same meaning.*

Avevamo una gattina, Milù, che mangiava i fiori!

Ma dai!

❶◯ Non lo so!
❷◯ Davvero?
❸◯ Perché?
❹◯ Anche io!
❺◯ Non voglio!
❻◯ Incredibile!

COME SIAMO

In this unit you will learn how to:
- understand and give physical descriptions
- describe one's personality
- read the horoscope
- make, accept and refuse an invitation
- describe actions which are going on right now

listen to
the recordings
of unit 13

Secondo te, quali di queste caratteristiche sono positive?

- ottimista
- dinamico/a
- intelligente
- geloso/a
- indipendente
- curioso/a
- generoso/a
- perfezionista
- pessimista
- gentile

1 LESSICO | Com'è? • WB 1

How can people's appearances be described in Italian? Look at the following pictures and complete them with the sentences given, as in the example.

✔ è calvo   è alto   è anziano   ha i capelli corti   ha i capelli bianchi

ha la barba   ha gli occhi azzurri

è giovane   _____   _____   ha i capelli lunghi   è bionda

_____   è basso   _____   ha i capelli lisci   ha i capelli ricci   ha i baffi

è calvo   porta gli occhiali   _____   è castano   _____

2 LETTURA | Chi è l'intruso? • WB 2

In Marina's group there should only be six people, but there are seven. Read the descriptions of the participants of the sightseeing tour and find out who is the gatecrasher.

ⓐ   ⓑ   ⓒ   ⓓ   ⓔ   ⓕ   ⓖ

1 ○ È alta. Ha i capelli neri, lunghi e ricci e gli occhi azzurri.

2 ○ È alto, ha i capelli e gli occhi castani e porta gli occhiali. Non è molto giovane ed è sempre elegante.

3 ○ È giovane, abbastanza alta, ha i capelli corti biondi e gli occhi verdi. Porta quasi sempre i jeans.

4 ○ È un signore anziano, basso, calvo. Ha la barba e gli occhiali.

5 ○ Porta una borsa e una camicia bianca. Ha i capelli e gli occhi neri.

6 ○ È alto e sportivo. Ha i capelli neri non molto corti e gli occhi azzurri.

3 ESERCIZIO ORALE | Il personaggio misterioso

Work with two classmates. Together choose a celebrity. Give a physical description of him / her, while the other groups must guess, by asking yes-no questions, who you are talking about.

4 ASCOLTO | Un tipo interessante • WB 3 / 4   45 ((▶

a. *Close the book, listen to the recording, then work with a partner and share information on the conversation.*

b. *Listen to the conversation again and write the two men's names (Matteo and Stefano) next to their matching photographs.*

c. *Mark which of the following adjectives refer to Matteo and which ones to Stefano.*

	Matteo	Stefano
a intelligente	○	○
b serio	○	○
c aperto	○	○
d divertente	○	○
e vanitoso	○	○
f sensibile	○	○
g timido	○	○
h noioso	○	○

5 RIFLETTIAMO | *Essere o avere?* • WB 5 / 6 / 7 / 8   45 ((▶

a. *Listen again to the previous conversation and complete the following transcription with the appropriate auxiliary (**essere** or **avere**).*

- ■ Katia, perché non sei più venuta alla festa sabato?

- ● Sì, mi dispiace, ma non _____ **potuta** venire. Il concerto _____ **cominciato** tardi ed _____ **finito** a mezzanotte e mezza.

    [...]

- ■ Sì, è vero forse Matteo parla un po' troppo, però è intelligente e simpatico, aperto... Il fratello invece mi _____ **dato** l'idea di un tipo noioso, molto serio... Pensa che non _____ **voluto** restare alla festa ed _____ **andato** via dopo un'ora...

- ● Mah, forse è solo timido. Io devo dire che trovo Matteo pesante, a volte: lui vuole fare la persona divertente, ma a me sembra solo vanitoso.

- ■ Non so, a me Matteo sta molto simpatico. Comunque lui non _____ **seguito** il fratello, _____ **andato** via solo quando la festa _____ **finita**, ma non _____ **potuto** parlare molto: sai, in una festa non è facile. Però mi _____ **detto** che _____ **cominciato** un master in fisica nucleare...

- ● Ah, molto divertente, proprio. Ma suo fratello ha un nome?

- ■ Sì, certo. Si chiama Stefano.

- ● Ah, e cosa fa? Studia, lavora...?

- ■ _____ **finito** da poco gli esami di Architettura, ma _____ **dovuto** interrompere la tesi per dei suoi impegni personali. A quanto ho capito, fa anche il volontario in qualche associazione per animali.

    [...]

ATTIVITÀ DI SCRITTURA 1 go to page 221

b. *Look at the **passato prossimo** forms of **cominciare** and **finire**. What is peculiar about them?*

c. *Complete the following definitions and examples:*

❶ **Cominciare** and **finire** use the auxiliary _____ in the **passato prossimo** when we say that **someone** began or finished **something**.

> Esempio:
> **Luis** _____ finito **il master.**
> **Luis** _____ cominciato **a lavorare.**

❷ **Cominciare** and **finire** use the auxiliary _____ in the **passato prossimo** when we say that **something** began or finished.

> Esempio:
> **Il concerto** _____ cominciato tardi.
> **Il concerto** _____ finito a mezzanotte.

d. *In this conversation you found the **passato prossimo** forms of **dovere** and **potere** as well. Did you notice what is peculiar about them?*

e. *Underline the the correct option to complete the following definition:*

The modal verbs (**volere, potere, dovere**) **have / don't have** an actual auxiliary verb in the **passato prossimo**: they use the **same / opposite** auxiliary of the verb they refer to.

> Non **sono** potuta venire alla festa.
> Stefano non è voluto restare alla festa.
> Non **abbiamo** potuto parlare molto.
> Stefano **ha** dovuto interrompere la tesi.

6 ESERCIZIO SCRITTO | *Ho cominciato a...*

*Write four things that you started or finished and four things that started or finished,
as in the examples. Then work with a partner, read your sentences out loud and ask him / her
whether they are correct or not. Then switch roles.*

> Esempio:
> Il corso di italiano è cominciato due mesi fa.
> Ieri **ho** finito di lavorare alle 20:00.

7 PARLIAMO | *Che tipo sei?*

*Choose the adjectives which describe your personality and justify your choice discussing with
a partner.*

perfezionista ottimista vanitoso allegro geloso pigro gentile

indipendente tranquillo pratico emotivo testardo timido

ambizioso curioso realista dinamico generoso chiacchierone

8 LETTURA | *L'oroscopo: e tu di che segno sei?*

a. *Match the following pictures with the corresponding signs
of the zodiac.*

❶ Ariete
❷ Toro
❸ Gemelli
❹ Cancro
❺ Leone
❻ Vergine
❼ Bilancia
❽ Scorpione
❾ Sagittario
❿ Capricorno
⓫ Acquario
⓬ Pesci

b. *Work with the classmate with whom you worked in activity* **7**. *Read the description of your signs of the zodiac: do they correspond to the previous description of your personalities?*

Ariete
Sempre allegro, ottimista, generoso, pratico. Anche se molto vanitoso e un po' superficiale, è un buon amico. Si innamora facilmente, ma presto si stanca. Adora il cambiamento, la novità.

Toro
Testardo e timido, è molto affettuoso. Pratico e realista, è un ottimo padrone di casa, anche se un po' troppo perfezionista.

Gemelli
Intelligenti, indipendenti e curiosi, ma allo stesso tempo nervosi, hanno un po' la natura del gatto, indipendente e autonoma. Hanno molti interessi intellettuali.

Cancro
Gentile e buono, ma gelosissimo, sa anche essere prepotente. Tranquillo un po' pigro, vive sempre estraneo ai problemi di questo mondo.

Leone
Ha una grande vitalità. È molto passionale e vanitoso, ma anche aperto e socievole. Ama proteggere i deboli.

Vergine
Serissima, lenta, sospettosa, pensa cento volte prima di prendere una decisione. Amante della famiglia.

Bilancia
Molto socievole, spiritosa, chiacchierona, è una gran vanitosa. È anche molto ambiziosa.

Scorpione
Vivacissimo ed emotivo, è anche molto geloso e sicuro di sé. Aperto, allegro, spiritoso, ha molti amici, ma anche molti nemici.

Sagittario
Serio, tranquillo, deve sentirsi sempre libero e indipendente. Gli piace la vita regolare, ma non teme l'imprevisto.

Capricorno
Molto intelligente e coraggioso, ha un'ottima memoria. Esigente, spesso avaro, a volte persino pessimista. Sicuro di sé, testardo, ambizioso.

Acquario
Molto buono, gentile, ama fantasticare. Va sempre d'accordo con tutti, ma fa quello che vuole lui. È giusto e generoso, ma non ha senso pratico.

Pesci
Dinamicissimi e ambiziosi. Amanti della casa e della famiglia, amano, allo stesso tempo, la vita dei locali notturni: adorano ballare e divertirsi.

9 RIFLETTIAMO | **Il superlativo assoluto** • WB 9 / 10 / 11 / 12

a. <u>Underline</u> *the word* **molto** *in the previous texts (activity* **8 b**). *How many times is it used?*

b. *The word* **molto** *can be either an adverb or an adjective. In the previous texts it is mostly used as an adverb in order to make the superlative form (**superlativo**) of adjectives. In three cases, though,* **molto** *is used as an adjective: where?*

c. *When **molto** is an adverb it performs differently from **molto** as an adjective. Try to work out what is the difference, looking at the examples which you underlined in the text and write your answer below.*

_____

_____

_____

d. *There are two ways to form the absolute superlative (**superlativo assoluto**) of an adjective in Italian. Find in the previous texts the absolute superlatives which are equivalent to those listed below.*

a molto geloso → _____
b molto vivace → _____
c molto seria → _____
d molto dinamici → _____

> The absolute superlative of some adjectives can be formed in two distinct ways:
> buono → buonissimo / ottimo
> cattivo → cattivissimo / pessimo
> grande → grandissimo / massimo
> piccolo → piccolissimo / minimo

10 ESERCIZIO SCRITTO | Superlativo assoluto

*Change the **highlighted** adjectives into absolute superlatives, as in the example.*

altissima	

a È ~~alta~~. Ha i capelli **neri**, **lunghi** e ricci e gli occhi azzurri.

b È **giovane**, abbastanza alta, ha i capelli **corti** e gli occhi verdi.

c È un uomo anziano, **basso**, calvo. Ha la barba e gli occhiali.

d È **alto**, **giovane** e sportivo. Ha i capelli **lisci** non molto corti e gli occhi azzurri.

ATTIVITÀ
DI SCRITTURA 2
go to page 221

11 ASCOLTO | *Ti va di venire?*   46 ◀))▶

a. *Close the book, listen to the recording, then work with a partner and share information on the conversation.*

b. *Listen again to the conversation, then work with a partner and match the adjectives in the list with Fabio or Paolo. More than one solution is possible. Justify your choice.*

| nervoso | indeciso | tranquillo | occupato | simpatico | antipatico | noioso |

Fabio è _____

Paolo è _____

c. *Do the two friends finally manage to set an appointment? Discuss with a partner.*

12 RIFLETTIAMO | *Ti va di venire?* • WB 13   46 ◀))▶

a. *Now complete the following transcription putting the words in the right column in the correct order. If you wish, you can ask the teacher to let you listen to the conversation again.*

Fabio: Pronto?

Paolo: Fabio, ciao, sono Paolo.

Fabio: Ah, Paolo, ciao come va?

Paolo: Bene, bene. Senti, ❶ _____
_____

| ❶ sabato / hai / sera? / che / per / programmi |

Fabio: Perché?

Paolo: ❷ _____
di Jovanotti?

| ❷ va / concerto / Ti / di / venire / al |

Fabio: Hmm, sabato sera veramente
❸ _____
C'è la festa in facoltà, ti ricordi?

| ❸ impegno / un / avrei |

Paolo: Senti, io sto facendo la fila per comprare
i biglietti, se vuoi venire devi decidere subito.

Fabio: Ma sì, va ❹ _____
Senti, quanto costa il biglietto?

| ❹ Sì, / bene. / d'accordo. / sì, |

Paolo: Settanta euro.

Fabio: Però! E non ci sono riduzioni per gli studenti?

Paolo: Fabio, guarda che ti sto chiamando con il cellulare...

Fabio: Ah, sì, scusa... No, Paolo, allora
❺ _____
in questo periodo sono al verde!
❻ _____
_____ La festa è gratis!

| ❺ vengo, / dispiace, / ma / mi / non |

| ❻ tu / con / Perché / vieni / non / invece / me? |

b. *Write in your notebook all the expressions that the two friends use to:*

> **a** make an invitation   **b** refuse an invitation
>
> **c** accept an invitation   **d** suggest something else

13 ESERCIZIO SCRITTO | *Ti va di...?* • WB 14 / 15 / 16 / 17

Read the following sentences and insert them in the table below according to their function, as in the example.

1 Che ne dici di andare...?
2 Perché invece non andiamo al mare?
3 Perfetto!
4 Mi dispiace, ma ho già un appuntamento.
5 Buona idea!
6 Veramente non mi va.

7 Mi dispiace, ma non posso, devo lavorare.
8 Sì, volentieri.
9 Hai voglia di andare al cinema?
10 No, dai, andiamo a teatro!
✔ **11** Andiamo a Napoli sabato?

invitare	accettare un invito	rifiutare un invito	fare un'altra proposta
11			

14 ESERCIZIO ORALE | Inviti

*Invite one of your classmates to do one of the following things. Your classmate must look at the corresponding picture and accept or refuse your invitation (" **X** " means that he / she cannot accept). He / She must also justify his / her answer. Then switch roles.*

15 RIFLETTIAMO | *Stare* + gerundio • WB 18 / 19

a. *Find these two sentences in the conversation from activity* **12** *(page 216) and complete them with the missing verbs.*

ⓐ Senti, io _____ _____ la fila per comprare i biglietti...
ⓑ Fabio, ti _____ _____ con il cellulare...

b. *In the previous sentences the present tense of the verb* **stare** *is followed by a verb in the gerund form (**gerundio**). Complete the following sentence.*

Stare + gerundio is used to refer to:

ⓐ◯ an action / event which has already occurred.

ⓑ◯ an action / event which has not taken place yet.

ⓒ◯ an action / event which is going on right now.

c. *Complete the following tables by inserting the gerunds of the verbs from part* **a** *above, then try to fill in the remaining blank space.*

verbi regolari		
chiam**are**	scriv**ere**	part**ire**
		partendo

verbi irregolari		
dire	fare	bere
dicendo		bevendo

16 ESERCIZIO ORALE | In fila • WB 20

Work with a partner. **Student** *A looks at the picture below, while* **Student** *B looks at the one on the next page. Describe what these people are doing and find the nine differences between the two illustrations, as in the examples.*

> Esempio:
> A: Qui il ragazzo con la borsa all'inizio della fila **sta parlando** al cellulare.
> B: Qui invece **sta bevendo** una Coca-Cola.

Esempio:

B: Qui il ragazzo con la borsa all'inizio della fila **sta bevendo** una Coca-Cola.

A: Qui invece **sta parlando** al cellulare.

17 **PARLIAMO | *Mettiamoci d'accordo.***

Work with a partner. You want to go out together. Decide where you will go and what you will do. Agree on where and when you will meet. Look at the images below to get an idea and suggest an interesting plan of action.

ATTIVITÀ
DI SCRITTURA 3
go to page 221

PASSATO PROSSIMO: *COMINCIARE + FINIRE*

In the **passato prossimo** the auxiliary of **cominciare** and **finire** can either be **avere** or **essere**.
These verbs function with **avere** when they are followed by a direct object or a preposition and an infinitive.

They function with **essere** in all other cases.

Federica **ha cominciato** <u>il corso di italiano</u>.
Hai finito <u>quel libro</u>?
Tullio **ha cominciato** <u>a studiare</u>.
Ho finito <u>di studiare</u> per l'esame.
Il corso **è cominciato** lunedì.
Il concerto **è finito** tardi.

AVERE ED *ESSERE* + VERBI MODALI – *AVERE* AND *ESSERE* + MODAL VERBS

Modal verbs **dovere**, **potere** and **volere**, when followed by an infinitive, can form the **passato prossimo** with either **avere** or **essere**, depending on the auxiliary which must be used with that specific infinitive.

Carla **ha** dovuto <u>vendere</u> la moto.
Carla **è** dovuta <u>tornare</u> a casa.
Non **ho** potuto <u>studiare</u> ieri.
Non **sono** potuto <u>andare</u> al cinema.
Hanno voluto <u>mangiare</u> al ristorante.
Sono volute <u>uscire</u>.

SUPERLATIVO ASSOLUTO – ABSOLUTE SUPERLATIVE

The **superlativo assoluto** expresses the highest degree of a quality. It can be formed as follows:
• adverb **molto** (which does not change) + adjective,
or
• root of the adjective + suffix **-issimo/a** (adjectives which end in **-e** take the ending **-o** for the masculine and **-a** for the feminine form).

Adjectives ending in **-co** and **-go** take an extra **-h-** before the suffix.

This rule does not apply to adjectives ending in **-co** which do not have an accent on the second to last syllable.

timido	→ **molto** timido	→ timid**issimo**
timida	→ **molto** timida	→ timid**issima**
gentile (m.)	→ **molto** gentile	→ gentil**issimo**
gentile (f.)	→ **molto** gentile	→ gentil**issima**
stanco	→ stan**chissimo**	
largo	→ lar**ghissimo**	
simpatico	→ simpat**icissimo**	
pratico	→ prat**icissimo**	

SUPERLATIVI ASSOLUTI IRREGOLARI – IRREGULAR ABSOLUTE SUPERLATIVES

There are some adjectives that completely change in the comparative and superlative forms.

buono →	molto buono / buonissimo / **ottimo**
cattivo →	molto cattivo / cattivissimo / **pessimo**
grande →	molto grande / grandissimo / **massimo**
piccolo →	molto piccolo / piccolissimo / **minimo**

GERUNDIO PRESENTE – PRESENT GERUND

verbi regolari				verbi irregolari		
parlare	avere	dormire	preferire	dire	fare	bere
and**ando**	prend**endo**	dorm**endo**	prefer**endo**	dicendo	facendo	bevendo

MOLTO

Molto can be used either as an adjective or as an adverb.

When it is used as an adjective, it corresponds to **much**, **many** and **a lot of** and agrees in gender and number with the noun to which it refers.

When it functions as an adverb, it corresponds to **very** or **a lot** and does not change.

In questo periodo non abbiamo **molto** tempo libero.
Ho letto **molti** libri.
Il mio insegnante ha **molta** pazienza.

La sua ragazza è **molto** simpatica.
Elisa e Francesca sono **molto** stanche.
Ha mangiato **molto**.

FORMA PROGRESSIVA – PROGRESSIVE FORM

*The progressive form – with **stare** (conjugated in the present tense) + the gerund – underlines the fact that an action / event is occurring at this very moment.*

Stanno mangiando una pizza.
Dove **stai andando**?
Sto leggendo il giornale.

ATTIVITÀ DI SCRITTURA · WRITING ACTIVITIES

1 Una persona interessante

Write an e-mail to a friend and give him / her a description of an interesting person whom you met in the past year.

2 Io e l'oroscopo

Write a short piece in which you express your opinion on horoscopes. Do you read them? Why or why not? Do you know someone with the same sign who is really different from you?

3 È stato un disastro!

Choose one of the following online posts and complete the boy's or the girl's text. They don't seem to have the same opinion over their first date!

L'altro ieri sono uscito con una ragazza conosciuta al corso di inglese. Le ho proposto di vederci. Lei ha risposto di sì, così abbiamo fissato un appuntamento: è stato un disastro!

_____

_____

L'altro ieri sono uscita con un ragazzo conosciuto al corso di inglese. Mi ha proposto di vederci. Io ho risposto di sì, così abbiamo fissato un appuntamento: è stato molto divertente!

_____

_____

PHYSICAL APPEARANCE

alto	tall
basso	short
calvo	bald
avere i capelli…	to have… hair
corti	short
lunghi	long
lisci	straight
ricci	curly
biondi	blond
neri	black
castani	brown
bianchi	white
rossi	red
avere gli occhi	to have black / blue /
neri / azzurri / verdi	green eyes
avere la barba / i baffi	to have a beard / a mustache

ZODIAC SIGNS

Ariete	Aries	Bilancia	Libra
Toro	Taurus	Scorpione	Scorpio
Gemelli	Gemini	Sagittario	Sagittarius
Cancro	Cancer	Capricorno	Capricorn
Leone	Leo	Acquario	Aquarius
Vergine	Virgo	Pesci	Pisces

USEFUL SENTENCES

Che ne dici di…?	How about…?
Hai voglia di…?	Do you feel like…?
Andiamo al cinema?	Why don't we go see a movie?
Perfetto!	Perfect!
Buona idea!	Good idea!
Sì, volentieri.	Yes, gladly., I'd like to.
Mi dispiace, ma ho già un appuntamento.	I'm sorry, I already have an appointment.
Veramente non mi va.	I don't really feel like it.
Mi dispiace, ma non posso.	I'm sorry, I can't.
Perché invece non andiamo al mare?	Why don't we go to the beach instead?
No, dai, andiamo al teatro!	No, come on, let's go to the theater!

PERSONALITY ADJECTIVES

affettuoso	affectionate
allegro	cheerful
antipatico	unpleasant
ambizioso	ambitious
aperto	open-minded
avaro	stingy
autonomo	autonomous
chiacchierone	talkative, chatty
coraggioso	brave
curioso	curious
dinamico	dynamic
divertente	fun, nice, pleasant
emotivo	emotional
geloso	jealous
generoso	generoso
gentile	kind
indipendente	indipendet
intelligente	intelligent
intellettuale	intellectual
interessante	interesting
nervoso	nervous
noioso	boring
ottimista	optimistic
passionale	passionate
perfezionista	perfectionist
pigro	lazy
pratico	practical
prepotente	bully
realista	realistic
sensibile	sensitive
serio	serious
sicuro di sé	self-confident
simpatico	nice, pleasant, easy-going
socievole	friendly
sospettoso	suspicious
spiritoso	humorous
superficiale	superficial
testardo	stubborn
timido	shy
tranquillo	quiet
vanitoso	vain
vivace	lively

ITALIANI CELEBRI

1 *Read the following descriptions and match them with the pictures below, as in the example.*

❶ Ha i capelli grigi e gli occhi castani.
❷ Ha i capelli neri e gli occhi marroni. Ha una camicia azzurra e una giacca grigia. Non ha la barba.
❸ È quasi calvo. Porta gli occhiali e indossa la giacca, la cravatta e una camicia.
❹ È giovane. Ha gli occhi castani e i capelli neri e corti.
❺ Ha la barba e i baffi. Indossa un cappello e una maglia a righe.
❻ È una donna con gli occhi chiari e i capelli ricci biondi.
❼ Ha i baffi lunghi e bianchi e la barba bianca. Indossa una sciarpa bianca e un cappello nero.
❽ Ha i capelli grigi. È vestito completamente di bianco.

a

Samantha Cristoforetti
È stata la prima astronauta italiana a fare un volo spaziale e la prima donna europea a comandare la Stazione Spaziale Internazionale (*ISS*).

b ①

Paolo Sorrentino
È uno dei più importanti registi italiani. Nel 2014 ha vinto il Premio Oscar con il film *La grande bellezza*.

c

Giuseppe Garibaldi
È il rivoluzionario che, con la "spedizione dei Mille", ha creato le basi per l'unità d'Italia del 1861.

d

Roberto Benigni
Attore e regista, nel 1999 ha vinto l'Oscar come migliore attore nel film *La vita è bella*.

e

Valeria Golino
È un'attrice italiana famosa anche a livello internazionale. Ha lavorato per molti grandi registi come Gabriele Salvatores, Sean Penn, Julie Taymor e Quentin Tarantino.

f

Umberto Eco
È uno dei più importanti scrittori italiani, famoso soprattutto per il romanzo *Il nome della rosa*.

g

Giuseppe Verdi
Compositore italiano, autore di opere che fanno parte del repertorio dei teatri di tutto il mondo.

h

Andrea Bocelli
È uno dei cantanti italiani più famosi al mondo.

2 *Did you already know some of these people? What did you know about them?*

Episodio 13: UNA SERATA TRA AMICI

1 *Which of the following paragraphs corresponds to the frames below? Make a guess.*

❶◯ Dopo cena, Valentina legge l'oroscopo a tutti i suoi amici.

❷◯ Dopo cena, Valentina e i suoi amici vogliono andare al cinema, ma non sono d'accordo su quale film vedere.

2 *What is the four friends' sign? Complete the table.*

	Valentina	Laura	Matteo	Federico
segno zodiacale				

3 *Complete the following table with the four friends' physical and psychological description.*

	Valentina	Laura	Matteo	Federico
capelli				
viso				
occhi, barba, bocca, ecc.				
corpo				
carattere				

4 *Read what Valentina and Matteo say and choose the correct option.*

No, no, **niente scuse!** Allora, comincio da te, Laura? Io e te abbiamo lo stesso segno!

❶ Che cosa significa **niente scuse**?

  ❶◯ Non voglio sentire scuse.
  ❷◯ Non mi hai chiesto scusa.
  ❸◯ Non voglio scusarmi.

E **quando mai tu pensi a me?**

❷ Cosa vuole dire Matteo con questa espressione?

  ❶◯ Tu pensi sempre a me.
  ❷◯ Tu non pensi mai a me.
  ❸◯ Tu pensi male di me.

CASA DOLCE CASA

In this unit you will learn how to:
• understand and write a short a rental ad
• understand and give home descriptions
• express wishes
• express the consequence of a possible hypothesis
• express likes and dislikes
• give advice

listen to
the recordings
of unit 14

ALBEROBELLO, PUGLIA

Che cosa significa per te la parola *casa*?
C'è un posto dove ti senti a casa, anche
se sei lontano dal tuo Paese?

14 CASA DOLCE CASA

1 LETTURA | Annunci per affittare un appartamento

a. *Read the following ads on three apartments for rent in Rome, then match them with the maps below.*

❶

In zona semicentrale, affittasi grazioso monolocale al piano terra con angolo cottura e ampia cabina armadio. L'appartamento è arredato con cucina completa, lavatrice, tavolo da pranzo, sedie e divano letto. Nel seminterrato ci sono una cantina di 9 metri quadri e il garage.
600 euro mensili.

❷

Affittiamo attico luminosissimo in zona residenziale ben collegata. L'appartamento è al settimo piano ed è composto da cucina abitabile, bagno, soggiorno, camera da letto, cameretta, ampio terrazzo e una piccola soffitta di circa 6 metri quadri.
1200 euro mensili.

❸

Affitto appartamento in centro ristrutturato 2 anni fa. Si trova al terzo piano di una palazzina di quattro piani ed è composto da un soggiorno con angolo cottura, una camera da letto, un bagno e un balcone.
1200 euro al mese.

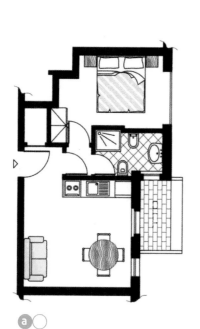

ⓐ○ ⓑ○ ⓒ○

b. *Read the rental ads again and find the words and expressions which correspond to the following English translations. The words are in order.*

❶ studio apartment: _____
❷ ground floor: _____
❸ kitchenette: _____
❹ walk-in closet: _____
❺ washing machine: _____
❻ dining table: _____
❼ sofa bed: _____

❽ basement: _____
❾ cellar: _____
❿ penthouse: _____
⓫ seventh floor: _____
⓬ small bedroom: _____
⓭ renovated: _____
⓮ small building: _____

2 LESSICO | La casa • WB 1 / 2 / 3 / 4 / 5

Work with a partner. Write the letters under the correct rooms (A through D) for each image and fill in the yellow circles with the numbers matching the correct furniture and other objects, as in the example.

1 *d*   **2** ◯

3 ◯   **4** ◯

ⓐ CAMERA DA LETTO	ⓑ BAGNO	ⓒ SOGGIORNO	✓ ⓓ CUCINA
✓ **1** armadio	**5** lavandino	**8** libreria	**11** fornelli
2 lampada	**6** vasca da bagno	**9** poltorna	**12** forno
3 comodino	**7** specchio	**10** divano	**13** lavello
4 letto			

I numerali ordinali

nono piano
ottavo piano
settimo piano
sesto piano
quinto piano
quarto piano
terzo piano
secondo piano
primo piano
piano terra
piano interrato

1° → primo	6° → sesto
2° → secondo	7° → settimo
3° → terzo	8° → ottavo
4° → quarto	9° → nono
5° → quinto	10° → decimo

Beginning with number 11, the ordinal numbers become regular:

11 → undic- + -esimo → **undicesimo**
28 → ventott- + -esimo → **ventottesimo**

The following is how numbers ending in **-tré** work:
53 → cinquantatré + -esimo → **cinquantat<u>ree</u>simo**

3 LETTURA | *Scambio di casa? Sì, grazie!*

Read the article and select the correct options.

Scambiamo casa? Io presto la mia casa a te, tu presti la tua a me: è questo lo spirito che anima lo scambio di casa, una pratica in continua crescita per viaggiare in Italia o all'estero che coinvolge oltre 250.000 persone nel mondo.

I vantaggi sono notevoli: il soggiorno è meno costoso di quello in normali sistemazioni a pagamento ed è anche più interessante del solito viaggio organizzato, perché è possibile entrare a diretto contatto con la cultura e gli stili di vita locali.

Lo scambio di case è sicuro come ogni servizio regolato da un contratto e poi dobbiamo sempre ricordare che anche il nostro ospite sarà attento quanto noi a non creare problemi, perché è nella nostra stessa situazione.

In rete ci sono numerosi siti dedicati allo scambio di casa, con i commenti dei precedenti partner di scambio. Scegli il sito che ti sembra più affidabile o più completo di altri e dopo l'iscrizione (devi solo caricare alcune foto della tua casa, dare informazioni utili e descrivere l'abitazione) puoi già iniziare a contattare i possibili partner.

Per usufruire di questo nuovo tipo di turismo non bisogna necessariamente avere una casa da sogno, è sufficiente una casa in buono stato, e puoi scambiarla anche se sei in affitto. Se ti contatta una persona interessata e capisci che la tua casa è meno bella della sua, non ti devi sentire in imbarazzo: per molte persone, il vantaggio di fare lo scambio di casa non è il lusso della casa, ma la città in cui si trova.

In ogni caso, è molto importante contattare e conoscere, anche se a distanza, le persone che chiedono di fare lo scambio: in caso di esperienza positiva, lo scambio può ripetersi e trasformarsi in una nuova amicizia.

adattato da www.notizie.it

1 Lo scambio di casa
- a ○ è possibile solo in Italia.
- b ○ è diffuso in tutto il mondo.

2 Le persone che scambiano le loro case
- a ○ sanno che l'ospite rispetterà il loro appartamento.
- b ○ vogliono soldi in anticipo per possibili problemi.

3 I siti dove si scambiano le case
- a ○ chiedono molte garanzie.
- b ○ sono di facile utilizzo.

4 Le persone che vivono in affitto
- a ○ possono fare lo scambio di casa.
- b ○ non possono fare lo scambio di casa.

5 La casa che una persona mette a disposizione deve essere
- a ○ molto bella.
- b ○ in un posto interessante.

6 Fare più volte lo scambio di casa con lo stesso partner
- a ○ è possibile.
- b ○ è vietato.

4 RIFLETTIAMO | Comparativi • WB 6 / 7 / 8

Find in the article of activity 3 *the sentences in which the author makes comparisons, then insert them in the following table.* Underline *the words which specifically express comparisons, as in the example.*

+	❶ ❷	
—	❶ il soggiorno è <u>meno</u> costoso <u>di</u> quello in normali sistemazioni a pagamento ❷	
=	❶ ❷	

5 ESERCIZIO SCRITTO | Comparativi

Work with a partner. Look at the following photographs and use the adjectives in the list below to make as many comparisons as you can between Emanuela's and Agnese's apartments, as in the examples. Ask the teacher if there is any adjective that you do not know.

Appartamento di Emanuela

Appartamento di Agnese

accogliente · arioso · impersonale · chiaro · colorato · elegante · grande

buio · luminoso · minimalista · moderno · piccolo · spazioso

Esempi:
L'appartamento di Agnese è **più** moderno **dell'**appartamento / **di quello** di Emanuela.
Il bagno di Emanuela è **meno** spazioso **del** bagno / **di quello** di Agnese.

6 PARLIAMO | Bella, accogliente...

Describe your home to a classmate. Which room do you prefer? In which one do you spend the most or least amount of time? Why?

ATTIVITÀ DI SCRITTURA 1
go to page 237

7 **LETTURA | La casa ideale degli italiani**
Read the article and select the correct options.

Com'è la casa ideale degli italiani?

Spesso si parla delle grandi differenze che ci sono tra le varie parti d'Italia: il carattere, la cucina, le abitudini sono molto diversi da Nord a Sud; ma se c'è una cosa che mette d'accordo tutti gli italiani è l'acquisto della casa. Le statistiche dicono infatti che il 75% degli italiani vorrebbe avere una casa di proprietà. In dettaglio, il 42% comprerebbe un appartamento per la prima volta, il 27% lo farebbe per avere una casa più grande e solo il 6% per sostituire la prima casa con una più piccola. Dato che nel centro storico delle città gli affitti sono sempre più costosi e chi ci vive è sempre più stressato, le persone sarebbero disposte a trasferirsi in periferia per avere una casa più grande: il 62%, infatti, dice che penserebbe, a parità di spesa, di comprare una casa in una zona più periferica rispetto a quella dove attualmente vive. Senza dimenticare che gli italiani cercano comunque case vicine a servizi come supermercati, negozi e mezzi pubblici, ma vorrebbero anche parchi e spazi verdi nelle vicinanze. Ma come dovrebbe essere la casa ideale? I motori di ricerca delle agenzie immobiliari online rivelano che molte persone cercano spesso case con il giardino privato (58%). Altri spazi che molti italiani vorrebbero sono il garage (51%), la cucina abitabile, il terrazzo, il soggiorno, la cameretta per i figli e due o più bagni. Gli italiani cercano soprattutto una casa luminosa, con riscaldamento autonomo, una bella vista e con l'aria condizionata.

1 Gli italiani preferiscono
a○ comprare una casa.
b○ prendere in affitto una casa.

2 Avere un appartamento grande nel centro delle grandi città
a○ non è possibile.
b○ è possibile, ma molto costoso.

3 Gli italiani vogliono un parco
a○ lontano da casa.
b○ vicino a casa.

8 **RIFLETTIAMO | Condizionale presente • WB 9 / 10 / 11 / 12 / 13**

a. *In the previous article there are many verbs conjugated in the **condizionale presente** (present conditional). Underline them in the text: how many have you found?*

b. *Choose the two correct options.*

In the previous article the conditional is used to:

a○ make a polite request.
b○ express a wish.
c○ express the consequence of an unlikely hypothesis.
d○ express the consequence of a perfectly possible hypothesis.

condizionale presente		
verbi regolari	verbi irregolari	
parlare → parl**er**- mett**ere** → mett**er**- prefer**ire** → prefer**ir**-	andare → **andr**- avere → **avr**- dovere → **dovr**- essere → **sar**- fare → **far**- potere → **potr**- sapere → **sapr**- vedere → **vedr**- volere → **vorr**-	-ei -esti -ebbe -emmo -este -ebbero

CASA DOLCE CASA **14**

9 ESERCIZIO SCRITTO | Condizionale presente

*Conjugate the verb in brackets in the **condizionale presente** and then complete the sentences in the left-hand column, choosing the most logical phrase from the right-hand column, as in the example.*

1 c Mara *(dormire)* ___dormirebbe___
nella camera degli ospiti,

2 ◯ *(Noi – Piantare)* _____
piantare dei fiori sul balcone,

3 ◯ Io *(comprare)* _____
pure questa poltrona,

4 ◯ Voi *(sentirsi)* _____
più tranquilli in una piccola città,

5 ◯ I nostri figli *(desiderare)*
_____ tanto un gatto,

6 ◯ *(Tu – Andare)* _____
volentieri a vivere in centro,

ⓐ ma gli appartamenti sono troppo cari.

ⓑ ma non ho la macchina per portarla a casa.

ⓒ ma lì c'è un letto veramente troppo scomodo.

ⓓ ma io sono allergica.

ⓔ ma forse non c'è abbastanza sole.

ⓕ ma i vostri figli si annoierebbero a morte.

10 ASCOLTO | Città o campagna?   47 ◀)▶

a. *Close the book, listen to the recording, then work with a partner and share information on the conversation.*

b. *Listen to the conversation again, then work with a partner and choose the correct option(s).*

1 Francesco
ⓐ ◯ non voleva trasferirsi in campagna.
ⓑ ◯ desiderava da molto tempo vivere in campagna.

2 Adesso Marta per andare in ufficio prende
ⓐ ◯ la macchina.
ⓑ ◯ la macchina e la metro.
ⓒ ◯ la metro.

3 Quali sono gli aspetti positivi di vivere in campagna, secondo Francesco?
ⓐ ◯ C'è molto silenzio e si dorme bene.
ⓑ ◯ Il cibo è più sano.
ⓒ ◯ C'è più spazio a disposizione.
ⓓ ◯ Meno stress.
ⓔ ◯ Non ci sono vicini fastidiosi.
ⓕ ◯ È possibile avere una grande piscina.
ⓖ ◯ Non è necessario avere la macchina.

4 Fabiana vorrebbe trasferirsi in campagna ma
ⓐ ◯ suo marito preferisce la città.
ⓑ ◯ i suoi figli sono non vogliono trasferirsi.

5 Francesco lavora
ⓐ ◯ in ufficio.
ⓑ ◯ a casa.

6 Quali sono gli aspetti negativi di vivere in campagna, secondo Fabiana?
ⓐ ◯ Dovrebbe accompagnare i figli nei loro spostamenti.
ⓑ ◯ Non ci sarebbero ristoranti nelle vicinanze.
ⓒ ◯ Lei ha paura del silenzio.
ⓓ ◯ A suo marito non piacerebbe vivere isolato.
ⓔ ◯ Lei dovrebbe lasciare il suo lavoro.
ⓕ ◯ Si dovrebbe alzare presto ogni mattina.

11 TRASCRIZIONE | Condizionale presente   48 ((▶

*Listen to the conversation again and fill in the blanks with the missing verbs in the **condizionale
presente.***

➊ ■ Ah, ma dai! Effettivamente, la campagna è stupenda. Anche a me _____
tanto abitarci, ma poi _____ essere sempre a disposizione dei miei figli
per portarli a scuola, a fare sport, o a casa degli amici…

➋ ■ Sì, capisco, con i figli ancora di quell'età è una scelta più difficile…
Ma _____ comunque di pochi anni di sacrifici…

▼ Sì, sì, ma c'è anche Luca, mio marito, che non è molto favorevole a trasferirsi
in campagna. Lo sai, lui è proprio il classico cittadino, non _____
vivere senza un ristorante a pochi passi, senza un cinema vicino, un supermercato
dove andare a piedi a fare una spesa rapida… E tutto questo lo sai in campagna non è
possibile.

■ No, questo no… Certo, dipende da che esigenze hai. Io, lo sai, con il mio lavoro
posso lavorare benissimo da remoto, cucinare è la mia passione e sicuramente in città
non _____ prodotti freschi come qui in campagna…

12 ESERCIZIO ORALE | Condizionale presente

*Work with a partner. Repeat the two conversations below changing the subject pronouns,
as in the examples. Switch roles after each transformation.*

➊ (Loro) (Loro)

✦ Probabilmente non si divertirebbero qui.
■ Magari studierebbero un po' di più.

Esempio: (Io) (Tu)

✦ Probabilmente non mi divertirei qui.
■ Magari studieresti un po' di più.

ⓐ (Tu) (Io)   ⓒ (Lui) (Lui)   ⓔ (Lei (formale)) (Io)

ⓑ (Noi) (Voi)   ⓓ (Voi) (Noi)

➋ (Voi) (Io)

✦ Dovreste passare molto più tempo a casa.
■ Sì, forse io potrei farlo, ma Giovanni no.

Esempio: (Lei) (Lei)

✦ Dovrebbe passare molto più tempo a casa.
■ Sì, forse lei potrebbe farlo, ma Giovanni no.

ⓐ (Io) (Tu)   ⓒ (Voi) (Noi)   ⓔ (Noi) (Voi)

ⓑ (Loro) (Loro)   ⓓ (Tu) (Io)

13 PARLIAMO | Vite possibili

Choose one of the following homes and imagine what your life would be like if you lived there. Then describe it to a classmate.

 **ATTIVITÀ DI SCRITTURA 2** go to page 237

14 RIFLETTIAMO | Il *ci* locativo • WB 14 / 15 / 16

Read the following sentence taken from activity 7.

> Dato che nel centro storico delle città gli affitti sono sempre più costosi e che **ci** vive è sempre più stressato...

*In the previous sentence the particle **ci** refers to a place which has previously been mentioned: **ci** = **nel centro storico**. In this case the pronoun is called **ci locativo**. Here are more examples:*

Non sono mai stato in Sicilia, ma **ci** vado l'estate prossima. (ci = <u>in</u> Sicilia)
È un ottimo ristorante, **ci** mangiamo spesso. (ci = <u>in</u> questo ristorante)
Ho comprato i biglietti per Istanbul, **ci** passiamo due settimane a giugno. (ci = <u>a</u> Istanbul).

*Now read the following sentence taken from the conversation of activity 10 and write what **ci** refers to. Remember to add the appropriate preposition.*

Effettivamente, la campagna è stupenda. Anche a me piacerebbe tanto abitar**ci**. (ci = _____)

15 LETTURA | Consigli per pitturare una stanza

a. *Read the following forum posts.*

Melina

Ciao a tutte, ho deciso di pitturare la mia stanza perché sono stufa delle pareti bianche...
Un sacco di cose del mio arredamento sono rosse, allora pensavo di fare le pareti un po' arancioni e un po' rosa. Qualcuno ha qualche suggerimento? Grazie mille!

Fay

Bella idea ☺
A me piace molto l'idea del rosa abbinato al rosso ☺
Magari potresti usare delle tonalità di colore diverse, una per le pareti e una per il soffitto.
Per non sporcare troppo dovresti coprire il pavimento con un telo di nylon.
Buon lavoro!

Lola

Sei proprio sicura di questa scelta?
Al posto tuo sceglierei dei colori più delicati, i colori forti dopo un po' di tempo possono stancare.

adattato da forum.alfemminile.com

b. *Do you prefer Fay's or Lola's answer?*

Read the following sentences taken from the previous activity.

*Magari **potresti** usare delle tonalità di colore diverse...*
*... **dovresti** coprire il pavimento con un telo di nylon.*
*Al posto tuo **sceglierei** dei colori più delicati...*

If you want to give advice in Italian you can:

ⓐ use the **condizionale presente** of **dovere** or **potere** + the infinitive.
In this case the subject of the sentence is the person who is given advice:

*Signora Bianchi, **dovrebbe** comprare una lavatrice nuova.*

*Ada e Matteo **dovrebbero** trasferirsi in un quartiere più sicuro.*

ⓑ use the expression **al posto tuo / suo / nostro** and conjugate any necessary verb in the **condizionale presente**. In this case the subject is the person who gives advice:

*<u>Al posto Suo</u>, Signora Bianchi, **compreremmo** una lavatrice nuova.*

*Ada e Matteo, <u>al posto vostro</u> **mi trasferirei** in un quartiere più sicuro.*

16 ESERCIZIO SCRITTO | Condizionale presente e possessivi • WB 17

Change the following sentences, as in the example. Whenever you find the pronoun io in brackets, use the expression Al posto + the possessive adjective.

> Esempio:
> Potresti usare delle tonalità di colore diverse.
> (*dovere*) <u>Dovresti usare delle tonalità di colore diverse.</u>
> (*io*) <u>Al posto tuo userei delle tonalità di colore diverse.</u>

❶ Dovresti coprire il pavimento con un telo di nylon.
(*potere*) _____
(*io*) _____

❷ Potresti dipingere le pareti di giallo.
(*dovere*) _____
(*io*) _____

❸ Dovrebbe lasciare le pareti bianche.
(*potere*) _____
(*io*) _____

❹ Al posto vostro chiamerei un pittore.
(*dovere*) _____
(*potere*) _____

17 ESERCIZIO ORALE | Condizionale presente e possessivi

Work with a partner. One student randomly chooses one of the situations listed in the purple box and reads the sentence out loud. The other student must give him / her advice by choosing one of the sentences in the consigli *box and conjugating the verb in brackets in the* **condizionale presente**. *Then switch roles. You must go through the whole* situazioni *column.*

situazioni
A casa mia fa troppo caldo in estate.
I miei vicini fanno feste tutte le sere.
Il mio coinquilino non pulisce mai il bagno.
Mi piacerebbe avere un animale in casa.
Vorrei cambiare il colore delle pareti.
Vorrei mangiare frutta e verdura fresche e sicure.

consigli
(*Dovere*) chiamare la polizia.
Al posto tuo io (*coltivare*) un orto in giardino.
(*Dovere*) installare l'aria condizionata.
(*Potere*) prendere un gatto.
(*Dovere*) scegliere un colore chiaro.
Al posto tuo io (*trovare*) un nuovo coinquilino.

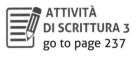

ATTIVITÀ
DI SCRITTURA 3
go to page 237

18 PARLIAMO | Consigli a un amico

*Work with a partner. Read the e-mail that he / she wrote (**ATTIVITÀ DI SCRITTURA 3**), then imagine that you are his / her best friend and call him / her to cheer him / her up and give him / her advice on how to solve problems with his / her home mates. Then switch roles.*

COMPARATIVI – COMPARATIVES

maggioranza e minoranza – majority and minority

*majority = **più** + adjective*
*minority = **meno** + adjective*

*The second term of comparison is introduced by the preposition **di** (either simple or compound).*

L'appartamento di Andrea è **più luminoso della** casa di Giulia.
L'appartamento di Andrea è **meno luminoso di** quello di Luca.

uguaglianza – equality

*adjective + **come / quanto** + second term of comparison*

La camera da letto è **grande come** il soggiorno.
La camera da letto è **grande quanto** il soggiorno.

COMPARATIVI IRREGOLARI – IRREGULAR COMPARATIVES

*The adjectives **large, small, tall**, and **short** also have an irregular form in the comparative, which is used when adjectives do not refer to physical size, but rather to quality or quantity.*

aggettivo	comparativo	esempio
grande	più grande / maggiore	Abbiamo comprato un appartamento **più grande** di quello dove abitavamo prima. Ti presento Alessio, il mio fratello **maggiore**.
piccolo	più piccolo / minore	Per muoversi in città, bisogna avere una macchina **più piccola** della tua. Sonia è la mia sorella **minore**.
alto	più alto / superiore	Il Monte Bianco è **più alto** del Monte Rosa. La qualità di questo tessuto è **superiore**.
basso	più basso / inferiore	Simona è **più bassa** di Valeria. Sono sicuro che in un altro negozio troveremo prezzi **inferiori**.

CONDIZIONALE PRESENTE – PRESENT CONDITIONAL

*The **condizionale presente** is used to:*
* express a possibility or make an assumption,
* express wishes,
* make a polite request,
* give advice,
* make a suggestion.

Pensi che **verrebbe** con noi?
Vorrei fare un corso di spagnolo.
Potresti aiutarmi, per favore?
Dovresti smettere di fumare.
Potremmo andare al cinema!

CONDIZIONALE PRESENTE – PRESENT CONDITIONAL

*The forms of the **condizionale presente** are similar to those of the **futuro semplice** (see page 190): the verb root is identical, whereas the endings are different.*

	parlare	mettere	preferire
io	parl**erei**	mett**erei**	prefer**irei**
tu	parl**eresti**	mett**eresti**	prefer**iresti**
lui / lei / Lei	parl**erebbe**	mett**erebbe**	prefer**irebbe**
noi	parl**eremmo**	mett**eremmo**	prefer**iremmo**
voi	parl**ereste**	mett**ereste**	prefer**ireste**
loro	parl**erebbero**	mett**erebbero**	prefer**irebbero**

verbi irregolari		
avere	**avr-**	
andare	**andr-**	
bere	**berr-**	
dare	**dar-**	
dovere	**dovr-**	
essere	**sar-**	-ei
fare	**far-**	-esti
potere	**potr-**	-ebbe
sapere	**sapr-**	-emmo
stare	**star-**	-este
vedere	**vedr-**	-ebbero
venire	**verr-**	
vivere	**vivr-**	
volere	**vorr-**	

CI LOCATIVO

*The particle **ci** is used to avoid repeating the name of a place which has already been mentioned.*

È un ottimo ristorante, **ci** mangiamo spesso.
(**ci** = in questo ristorante)

Ho comprato i biglietti per Istanbul, **ci** passiamo due settimane a giugno.
(**ci** = a Istanbul)

ATTIVITÀ DI SCRITTURA · WRITING ACTIVITIES

1 Annuncio per scambiare la casa

Imagine writing an ad on a home exchange site: describe your home and write the type of apartment (as well as location in the world) with which you would prefer to have an exchange or swap.

2 La casa del futuro

How do you envision your future home? What do you think homes will be like in fifty years? Why?

3 Un problema a casa

Imagine that you are a university student from Sicily who studies in Naples and shares an apartment with two other students. Living with your housemates is far from easy. Write an e-mail to your best friend and express your frustration and dissatisfaction.

TYPES OF HOMES AND BUILDINGS

appartamento (m.)	apartment
attico (m.)	penthouse
mansarda (f.)	attic living space
monolocale (m.)	studio apartment
palazzina (f.)	small building
palazzo (m.)	building
villa (f.)	villa
villetta a schiera (f.)	row house

THE ROOMS OF A HOUSE

bagno (m.)	bathroom
camera (f.)	bedroom
cameretta (f.)	small bedroom
cantina (f.)	cellar
cucina (f.)	kitchen
soggiorno (m.)	living room

FURNITURE

angolo cottura (m.)	kitchenette
armadio (m.)	wardrobe
cabina armadio (f.)	walk-in closet
comodino (m.)	bedside table
divano (m.)	sofa
divano letto (m.)	sofa bed
doccia (f.)	shower
fornello (m.)	burner
forno (m.)	oven
lampada (f.)	lamp
lavandino (m.)	sink
lavatrice (f.)	washing machine
lavello (m.)	kitchen sink
letto (m.)	bed
libreria (f.)	bookshelf
poltrona (f.)	armchair
sedia (f.)	chair
specchio (m.)	mirror
tavolo da pranzo (m.)	dining table
vasca da bagno (f.)	bath

PARTS OF A ROOM

parete (f.)	wall
soffitto (m.)	ceiling
pavimento (m.)	floor

ADJECTIVES FOR DESCRIBING A PHYSICAL SPACE

accogliente	cozy
allegro	cheerful
buio	dark
chiaro	light
colorato	colorful
elegante	elegant
grande	big
impersonale	anonymous
luminoso	bright
minimalista	minimalistic
moderno	modern
piccolo	small
ristrutturato	renovated
spazioso	spacious

ORDINAL NUMBERS

1°	**primo**
2°	**secondo**
3°	**terzo**
4°	**quarto**
5°	**quinto**
6°	**sesto**
7°	**settimo**
8°	**ottavo**
9°	**nono**
10°	**decimo**

Beginning with number 11, the ordinal numbers become regular:
11 → undic- + -esimo → undicesimo
28 → ventott- + -esimo → ventottesimo

The following is how numbers ending in -tré work:
53 → cinquantatré + -esimo → cinquantatreesimo

TIPI DI ABITAZIONE

1 *Match the photographs below with the words in the list, as in the example.*

✔ attico

mansarda

monolocale

palazzo

seminterrato

appartamento

villetta a schiera

villa

attico

2 *What kind of home do you like the most? Which one is the most common in your country?*

Episodio 14: UNA VITA POCO SANA

1   *Who says what? Before watching the episode, match each of the following sentences with either Federico or Laura. Then watch the episode and check your answers.*

		Federico	Laura
1 Dai, pazienza! Tanto tu mangi solo yogurt!		◯	◯
2 Esagerato! Volevo farti un massaggio…		◯	◯
3 Comunque dovresti fare una vita più sana.		◯	◯
4 Voglio solo dimostrarti che lo yoga non è uno sport "per ragazze", come pensi tu.		◯	◯
5 Pronta? Se ti faccio male non è colpa mia!		◯	◯
6 Per consolazione sai cosa faccio? Un bel ciambellone come piace a te!		◯	◯

2   *Complete the following sentences choosing the correct option. Then watch the episode again and check your answers.*

1 Mentre aspetta in soggiorno, Federico	**a** ◯ si diverte. **b** ◯ si annoia.
2 Laura ha cucinato il pollo, ma	**a** ◯ è rimasto troppo tempo nel forno. **b** ◯ ha messo troppo peperoncino.
3 Laura critica Federico	**a** ◯ perché non va in bicicletta. **b** ◯ perché fa una vita poco sana.
4 Laura di solito	**a** ◯ mangia verdura e fa movimento. **b** ◯ mangia yogurt e cucina pollo.
5 Federico si è alzato dal divano e	**a** ◯ ha fatto un massaggio. **b** ◯ ha sentito un dolore molto forte.

3   *Watch the episode one more time, then look at the following frames and choose the correct option.*

Eccomi, eh, sono pronta!

Oh, **era ora.**

Beh, certo **non mangio schifezze** come te!

1 Che cosa significa l'espressione **era ora**?

> **a** ◯ Sei arrivata nel momento giusto.
> **b** ◯ Ti ho aspettato per un'ora!
> **c** ◯ Finalmente!

2 Cosa vuol dire l'espressione **non mangio schifezze**?

> **a** ◯ Non mangio cibi freschi.
> **b** ◯ Non mangio cibi poco sani.
> **c** ◯ Non mangio verdure.

VIVERE IN ITALIA

In this unit you will learn how to:
- compare Italian social habits and traditions with those of other countries
- understand travel brochures and travel blogs
- understand and give orders, recommendations and instructions
- underline cultural differences

listen to
the recordings
of unit 15

Ti piacerebbe vivere per un periodo in Italia? Perché?

Se lo hai già fatto o lo stai facendo, cosa ti è piaciuto / ti piace di questa esperienza?

1 PARLIAMO E SCRIVIAMO | Usi e costumi

a. *Look at the pictures below and fill in the blanks with the words in the list.*

(bucato) (condire) (dissetarsi) (fila) (gustare)

❶ fare il _____

❷ _____ un caffè

❸ fare la _____

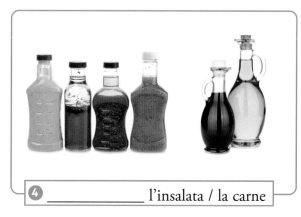

❹ _____ l'insalata / la carne

❺ _____

b. *Which pictures would you associate with Italian habits and contexts? Which ones would you rather associate with traditions and situations of your country? Discuss with a partner.*

c. *Now work with a different partner. Tell him / her what you and your previous partner discussed. Then for each pair of photographs write a sentence to explain any relevant differences between Italian habits and those of your country.*

2 **LETTURA** | Consigli per chi viaggia in Italia • WB 1 / 2 / 3

Read the following travel brochure and match each paragraph with its corresponding photograph.

1 ◯ L'Italia non è solo Firenze, Venezia e Roma. Parti alla scoperta dell'Italia vera, esplora le cittadine e i paesi meno conosciuti.

2 ◯ In Italia puoi visitare molte chiese: metti vestiti appropriati, copri le spalle e le gambe e non entrare con pantaloni corti, canottiere e in generale vestiti troppo corti!

3 ◯ Nei musei, nelle chiese e all'interno dei monumenti spegni il cellulare e non parlare a voce alta.

4 ◯ Prova a usare la lingua! Gli italiani apprezzano moltissimo lo sforzo, anche se spesso rispondono in inglese per fare anche loro un po' di pratica.

5 ◯ L'Italia non è solo pasta e pizza. In ogni regione, in ogni città e paese il cibo è diverso e vario. Prima di visitare un posto nuovo in Italia, ricerca quali sono i piatti tipici e scopri cibi nuovi.

6 ◯ Finisci il pasto con un bel caffè, ma non chiedere assolutamente un cappuccino dopo pranzo o dopo cena, per gli italiani è quasi un affronto! Il cappuccino è per la colazione.

7 ◯ L'Italia è la patria del gelato, prova ogni giorno un gusto diverso e assaggia l'affogato, un caffè espresso versato su una pallina di gelato alla vaniglia. Una vera delizia!

8 ◯ Bevi l'acqua delle numerose fontane sparse per le città, in particolare a Roma: è potabile!

9 ◯ Molti negozi, ristoranti e bar non accettano carte di credito. Porta con te sempre un po' di contanti.

3 RIFLETTIAMO | Imperativo informale singolare • WB 4 / 5 / 6

a. *In the previous brochure you found a new verb form, the **imperativo** (specifically, the informal singular form that goes with **tu**). Read the text again and find all negative and affirmative forms of the **imperativo informale singolare** of the verbs in the table below.*
*Insert the verbs in the table, then add their **indicativo presente** forms, as in the examples.*

	imperativo informale singolare (*tu*)	indicativo presente 2ª persona singolare (*tu*)
partire	parti	parti
esplorare		
mettere		
coprire		
entrare	non entrare	non entri
spegnere		
parlare		
provare		

	imperativo informale singolare (*tu*)	indicativo presente 2ª persona singolare (*tu*)
ricercare		
scoprire		
finire		
chiedere		
provare		
assaggiare		
bere		
portare		

b. *When is the affirmative **imperativo informale singolare** different from the second singular person of the **indicativo presente**?*

ⓐ ○ verbs in **-are**   ⓑ ○ verbs in **-ere**   ⓒ ○ verbs in **-ire**

c. *How is the negative **imperativo informale singolare** formed?*

_____ + _____

d. *Now, try to explain what the **imperativo** is used for.*

4 ESERCIZIO SCRITTO | Imperativo informale singolare

*Complete the following paragraphs conjugating the verbs in brackets in the **imperativo informale singolare**.*

> *Consigli per studenti stranieri che vengono a studiare in Italia*
>
> ❶ (*Seguire*) _____ corsi di italiano: è divertente parlare la lingua locale!
>
> ❷ Non (*prendere*) _____ spesso i taxi, sono molto cari!
>
> ❸ (*Comprare*) _____ i biglietti prima di salire sull'autobus.
>
> ❹ Nelle grandi città sull'autobus possono esserci ladri: (*ricordare*) _____ di fare attenzione alla borsa e al portafoglio!
>
> ❺ Non (*perdere*) _____ l'occasione di andare allo stadio a vedere una partita di calcio dal vivo!

6 Non (*andare*) _____ a mangiare nei fast food,
(*sperimentare*) _____ il cibo di strada locale.

7 Non (*mangiare*) _____ in classe.

8 Non (*stare*) _____ sempre con altri studenti del tuo Paese,
(*vedere*) _____ anche ragazze e ragazzi italiani.

9 Nei fine settimana liberi, non (*partire*) _____ sempre per le altre
capitali europee: (*scoprire*) _____ le città italiane!

10 Se vai a Roma, (*lanciare*) _____ una moneta nella Fontana di Trevi.

5 ESERCIZIO ORALE | Imperativo informale singolare

*Work with a partner. Take turns suggesting things that Alice should or should not do while travelling in Europe. Use the verbs in the list below and conjugate them in the **imperativo informale**, as in the example. You can add a few extra recommendations if you wish.*

Alice
Ciao ragazzi, passerò un mese in giro per l'Europa, viaggerò in treno con lo zaino in spalla. Che cosa mi consigliate di fare prima di partire e durante il viaggio?

8 prenotare gli alberghi

9 partire senza un programma preciso e decidere le destinazioni giorno per giorno

10 scoprire piccole città poco conosciute

11 vedere solo le grandi città famose

12 partire da sola

13 viaggiare con un gruppo di amici

14 prendere i treni notturni e dormire in treno invece che in albergo

15 provare gli ostelli

16 cercare su TripAdvisor ristoranti tipici

_____

_____

_____

_____

_____

_____

Esempio:
mangiare piatti tipici
→ Mangia piatti tipici.

1 mettere nello zaino vestiti e scarpe eleganti

2 scegliere uno zaino piccolo e portare pochi vestiti pratici

3 stipulare un'assicurazione sanitaria

4 cercare una guida dell'Europa

5 portare un tablet

6 comprare medicine varie

7 programmare un itinerario

ATTIVITÀ DI SCRITTURA 1
go to page 253

6 PARLIAMO | **Un posto da non perdere**

Choose a place that you particularly like (in your country or elsewhere) and that you would highly recommend. Then work with a partner: take turns giving him / her advice on the things to do and see. Then switch roles.

7 LETTURA | **Diventate famiglia ospitante!**

a. *Read the following article.*

> ### Diventate una famiglia ospitante e accogliete in casa studenti stranieri. Offrite ospitalità e aumentate il vostro reddito.
>
> C'è una forte richiesta di famiglie ospitanti in Italia che desiderano accogliere studenti stranieri. Non perdete questa occasione: effettuate gratis la registrazione come famiglia ospitante in Italia, date ospitalità a studenti stranieri e aprite la vostra casa al mondo. È un'esperienza che arricchirà tutta la famiglia: scoprirete culture diverse e avrete la possibilità di conoscere altre lingue. Insomma sarà un modo facile, piacevole e interessante di aumentare il vostro reddito.

adattato da www.lingoo.it

b. *Now answer the following question.*

Quali sono i vantaggi di diventare famiglia ospitante?

8 RIFLETTIAMO | **Imperativo plurale** · WB 7 / 8

*Read the following sentences taken from the previous article, then complete the rule on the **imperativo plurale** choosing the correct option.*

> Diventate una famiglia ospitante e accogliete in casa studenti stranieri.

> Offrite ospitalità e aumentare il vostro reddito.   Non perdete questa occasione.

> Aprite la vostra casa al mondo.   Effettuate gratis la registrazione.

❶ The **imperativo plurale** is used to give advice and instructions to more than one person (**voi**). The second plural person of the **imperativo** is identical to the second plural person of the **presente indicativo**:

   ⓐ○ only for regular verbs ending in -**ere** and -**ire**.
   ⓑ○ only for regular verbs ending in -**are**.
   ⓒ○ for all regular verbs.

❷ Now focus on the **imperativo** in negative sentences (thus preceded by **non**): is there any difference between the plural and the singular form?

_____

_____

9 ESERCIZIO SCRITTO | Imperativo plurale

*Rewrite the recommendations that you read in activity **2** (page 243) replacing the second singular person (**tu**) with the second plural person (**voi**), as in the example.*

> Esempio:
> Parti alla scoperta dell'Italia vera… → Partite alla scoperta dell'Italia vera…

10 ASCOLTO | Diventare famiglia ospitante • WB 9 49 ◁))

a. *Close the book, listen to the recording, then work with a partner and share information on the conversation.*

b. *Listen to the conversation again and, still working with your partner, choose the correct option(s).*

1 Carlo telefona a Teresa perché
- **a** ○ vuole chiedere informazioni.
- **b** ○ vuole un numero di telefono.

2 Teresa ospita studenti
- **a** ○ per migliorare l'inglese.
- **b** ○ perché è una bella esperienza e per guadagnare un po' di soldi.

3 La casa di Carlo ha
- **a** ○ due camere da letto e un bagno.
- **b** ○ due camere da letto e due bagni.

4 Marina si occupa degli alloggi
- **a** ○ per una scuola di italiano.
- **b** ○ per un'università americana.

5 Carlo vuole affittare a studenti una camera con
- **a** ○ due letti
- **b** ○ un terrazzo
- **c** ○ due scrivanie
- **d** ○ uno specchio
- **e** ○ un computer
- **f** ○ un divano
- **g** ○ un balcone
- **h** ○ un armadio
- **i** ○ una libreria

6 Carlo vuole ospitare
- **a** ○ un solo studente.
- **b** ○ uno o due studenti.

7 Carlo vorrebbe ospitare gli studenti
- **a** ○ alla fine delle sue vacanze estive.
- **b** ○ dopo le vacanze invernali.

8 In autunno i ragazzi arrivano
- **a** ○ a settembre e partono a dicembre.
- **b** ○ ad agosto e partono a dicembre.

9 Carlo
- **a** ○ ama cucinare.
- **b** ○ sa cucinare, ma non gli piace.

10 Carlo abita
- **a** ○ in centro.
- **b** ○ vicino al centro.

11 Carlo ha intenzione di ospitare studenti
- **a** ○ per tre mesi l'anno.
- **b** ○ per sei mesi l'anno.

ATTIVITÀ DI SCRITTURA 2
go to page 253

11 LETTURA | Vivere in un altro Paese

a. *Read the following article, then choose, in the list below, the sentence which in your opinion appropriately sums it up.*

È la prima volta che visiti Roma o che abiti con una famiglia italiana?
Preparati, sarà una bellissima esperienza!

1 Ti piace il caffè? Se la tua risposta è un gioioso "sì!", sei fortunato. La colazione italiana offre tante opzioni per assaggiare la tua bevanda preferita: caffellatte, caffè macchiato, cappuccino… **Bevili** mentre mangi un cornetto, pane e nutella o pane e marmellata.

2 Per muoverti in città sicuramente sarà necessario prendere un mezzo di trasporto pubblico, la metropolitana, l'autobus o il tram. All'inizio sarà un po' difficile, non esiste spazio personale sui mezzi pubblici a Roma! **Non scoraggiarti** però, **usa** questa opportunità per osservare gli studenti, i turisti, gli anziani, le donne e gli uomini chic che portano sempre gli occhiali da sole e scopri la popolazione multiculturale di Roma!

3 Il traffico a Roma è molto caotico e la gente guida molto velocemente. All'inizio sembra impossibile attraversare la strada… Niente paura! **Guarda** i romani che marciano direttamente nel traffico, le auto semplicemente si fermano o li evitano.

4 Dopo le lezioni, **fa'** una passeggiata in centro e **prendi** un gelato con panna per una deliziosa merenda. Se c'è molta gente nella gelateria **abbi** pazienza, in Italia le regole per stare in fila non esistono.

5 Se vuoi fare esercizio, **non andare** in palestra, **esplora** invece i bellissimi parchi di Roma – per esempio, Villa Pamphili, Villa Borghese, il Circo Massimo – e **corri** insieme ai romani.

6 **Non stupirti** se dovrai aspettare le 20:00 o le 20:30 per cenare con la famiglia che ti ospita: i romani cenano tardi. Mi raccomando: assolutamente **non mescolare** tutto il cibo insieme! Non si mangia la pasta insieme alla carne, all'insalata e alle verdure: che orrore! Probabilmente durante la cena la tua famiglia italiana non spegnerà la TV. **Sta'** tranquillo, è normale! **Continua** pure a chiacchierare con la tua "madre italiana", **chiedile** le parole che non capisci nelle trasmissioni italiane e **migliora** il tuo vocabolario.
In bocca al lupo!

1◯ Consigli per famiglie italiane che ospitano studenti stranieri.
2◯ Consigli per studenti stranieri che vengono a Roma.
3◯ Consigli per studenti italiani che vogliono passare un semestre negli Stati Uniti.

b. *Work with a partner. Read the article again and match each paragraph with its corresponding photograph, as in the example.*

a◯

b①

c◯

d◯

e◯

f◯

The Italian expression **Mi raccomando!** is used to introduce an instruction or a recommendation that the listener should scrupulously follow. There is no strictly equivalent expression in English: it approximately corresponds to **please...** or **don't forget to...** (followed by instructions).

12 RIFLETTIAMO | Imperativo informale singolare: forme irregolari e posizione dei pronomi diretti e indiretti · WB 10 / 11 / 12

a. *In the previous article the* **imperativo** *is often used for giving instructions. Read the text again and* <u>underline</u> *all verbs conjugated in the* **imperativo informale singolare**. *How many have you found?*

b. *Work with a partner. Read again the sentences which contain the verbs that you have just underlined and complete the rule choosing the correct option.*

Direct, indirect and reflexive pronouns, when used with the **imperativo informale singolare**:

1 ◯ precede the verb.

2 ◯ follow the verb.

3 ◯ follow the verb and form a single word with it.

> Rules on the position of pronouns mentioned in activity **12** also apply to the **imperativo plurale:**
> *Continua a chiacchierare con la tua "madre italiana", chiedile le parole che non capisci...*
> *Continuate a chiacchierare con la vostra "madre italiana", chiedetele le parole che non capite...*
>
> When the imperative is used in negative sentences, pronouns can be placed either after the verb (and form a single word with it), or right before it:
> non preoccup**arti** = non **ti** preoccupare
> non preoccupate**vi** = non **vi** preoccupate

c. *Complete the following table with the missing imperative forms that you can find in the text of activity* **11**.

	andare	avere	bere	dare	dire	essere	fare	stare
tu	vai / va'			dai /	di'	sii	fai /	stai /
voi	andate	abbiate	bevete	date	dite	siate	fate	state

> When a direct, indirect or reflexive pronoun, as well as **ci** and **ne**, is used in combination with the **imperativo informale singolare** of **andare**, **dare**, **dire**, **fare** and **stare**, the verb is always in the contracted form (**va'**, **da'**, **fa'** and **sta'**) and the pronoun begins with a double consonant:
> *Dimmi la verità.* (**di'** + **mi**)
> *Quando vedi Letizia, dalle questa lettera.* (**da'** + **le**)
> *Se non riesci ad andare alla posta oggi vacci domani.* (**va'** + **ci**)
> *Se non hai ancora fatto i compiti, falli ora.* (**fa'** + **li**)
>
> Only the pronoun **gli** takes no double consonant:
> *Telefona a Giorgio e digli di venire domani.*

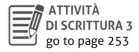 **ATTIVITÀ DI SCRITTURA 3** go to page 253

13 TRASCRIZIONE | Dare consigli   50 ((►

*Listen several times to this part of the conversation of activity **10** and try to complete the following transcription with the missing words.*

Teresa: Be', _____, io ti do il numero di Marina, che _____ _____

_____ alloggi per questa scuola di italiano che _____ _____

gli studenti…

Carlo: Sì.

Teresa: _____ a nome mio e _____ _____ _____ interessato

a _____ _____ _____ due studenti… L'altra _____

_____ letto è _____ grande per due persone?

Carlo: Sì, sì, è molto _____. _____ _____ due letti e due

scrivanie, un armadio abbastanza ampio, una _____ e c'è _____

il balcone.

Teresa: Ah, bene. _____, se te la senti, _____ _____ ragazzi alla volta.

14 ESERCIZIO SCRITTO | Imperativo e pronomi • WB 13 / 14 / 15 / 16

Answer the questions below using the affirmative and negative form of the imperative and adding the appropriate pronoun, as in the example.

> Esempio:
> ▪ Prendo un altro gelato?
> ◆ Ma sì, **prendilo**. ◆ No, **non prenderlo / non lo prendere**.

❶ Uso i mezzi pubblici?

◆ _____

❷ Mi consigli di leggere questo libro?

◆ _____

❸ Bevo un altro caffè? È il quarto oggi…

◆ _____

❹ Che dici, faccio una festa sabato?

◆ _____

❺ Mi riposo un po' dopo pranzo?

◆ _____

❻ Preparo le lasagne per cena?

◆ _____

❼ Che pensi, telefono al ragazzo di ieri sera?

◆ _____

❽ Scrivo a Marta?

◆ _____

❾ Dico la verità?

◆ _____

❿ Che pensi, vado alla festa domani?

◆ _____

15 ESERCIZIO ORALE | Filetto dell'imperativo

*Work with a partner (**Student** A + **Student** B). One student chooses one of the boxes in the grid below, makes a sentence conjugating the verb in brackets in the **imperativo singolare informale** and adds the appropriate pronoun to replace the **highlighted** items (if there is any in the box), as in the examples. If the sentence is correct, the student marks that box with a symbol ("X" for **Student** A, "O" for **Student** B).*

Then it's the other student's turn. Once a box is marked, it cannot be used anymore. The goal is to form four correct sentences in a row (horizontally, vertically or diagonally) before the other student does.

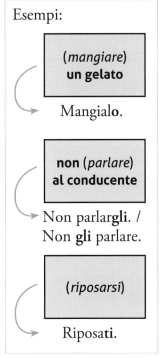

Esempi:

> *(mangiare)* **un gelato**
>
> Mangialo.

> **non** *(parlare)* **al conducente**
>
> Non parlar**gli**. / Non **gli** parlare.

> *(riposarsi)*
>
> Riposa**ti**.

non *(chiamare)* **Marina**	*(fare)* **il letto**	*(ospitare)* **due studenti**	*(organizzarsi)*
non *(scoraggiarsi)*	*(scrivere)* **agli studenti**	*(dare)* **a me**	**non** *(mettere)* **i pantaloni corti**
(prendere) **un appuntamento**	*(spegnere)* **il cellulare**	**non** *(arrabbiarsi)*	*(telefonare)* **a Marina**
(scoprire) **piatti nuovi**	*(rilassarsi)*	**non** *(finire)* **l'acqua calda**	*(andare)* **a Napoli**

16 PARLIAMO | Shock culturale

*Work with a partner (**Student** A + **Student** B). **Student** A will play Sandro, an Italian student who arrived in your country two weeks ago and will attend classes for a whole semester at your university. **Student** B will play Heather, a student from your university who met Sandro on their first day of class. Read your own instructions and play!*

Student A | Sandro
Tutto ti sembra strano, non riesci ad abituarti al cibo e alle abitudini differenti. Per adesso l'unica nota positiva di questa esperienza è che al campus hai conosciuto una ragazza molto simpatica, Heather, che in questi giorni frequenti molto. La incontri a mensa, ti siedi al tavolo con lei e le parli delle tue difficoltà.

Student B | Heather
Due settimane fa hai conosciuto un ragazzo italiano che frequenterà un semestre presso la tua università. Lui è simpatico e gentile, però è evidentemente in una fase di shock culturale. Cerchi di incoraggiarlo per aiutarlo a superare questa fase, gli dai dei consigli per abituarsi alla vita nel campus e alle differenze tra il tuo Paese e l'Italia.

IMPERATIVO INFORMALE SINGOLARE E PLURALE – SINGULAR AND PLURAL IMPERATIVE

The singular forms of the informal imperative of verbs ending in -ere and -ire are identical to those of the presente indicativo. All the plural forms of the imperative (i. e. both for noi and voi) are identical to those of the presente indicativo.

	parl**are**	mett**ere**	part**ire**	fin**ire**
tu	parl**a**	mett**i**	par**ti**	fin**isci**
noi	parl**iamo**	mett**iamo**	part**iamo**	fin**iamo**
voi	parl**ate**	mett**ete**	part**ite**	fin**ite**

verbi irregolari											
	andare	avere	bere	dare	dire	essere	fare	sapere	stare	tenere	venire
tu	vai/va'	abbi	bevi	dai/da'	di'	sii	fai/fa'	sappi	stai/sta'	tieni	vieni
noi	andiamo	abbiamo	beviamo	diamo	diciamo	siamo	facciamo	sappiamo	stiamo	teniamo	veniamo
voi	andate	abbiate	bevete	date	dite	siate	fate	sappiate	state	tenete	venite

Uso dell'imperativo – Use of the imperative

The imperative is used to:
- *give advice,*
- *give instructions,*
- *give orders,*
- *exhort someone to do something.*

The first plural person of the imperative (noi) corresponds to the English construction let's + verb.

Esplora città meno conosciute.
Gira alla prima a sinistra e poi **va'** dritto.
Parlate a voce bassa!
Telefoniamo a Carlo!

Ragazzi, **andiamo** al cinema!

Imperativo negativo – Negative imperative

- *second singular person (tu)* → *non + infinitive*
- *first plural person (noi)* → *non + plural imperative*
- *second plural person (voi)* → *non + plural imperative*

Non parlare a voce alta!
Non facciamo tardi!
Non perdete questa occasione.

Imperativo + pronomi – Imperative + pronouns

Ci and ne, as well as direct, indirect and reflexive pronouns, follow the imperative and form a single word with it.

When the imperative is in the negative form, pronouns can either precede or follow the verb.

Verbs such as andare, dare, dire, fare and stare have a contracted imperative form; when combined with such verbs, pronouns (including ne and ci) begin with a double consonant.

This rule does not apply to the indirect pronoun gli.

Preparati per una grande avventura.
Ordina un caffè e **bevilo** mentre mangi un cornetto.

Non scoraggiarti! / Non ti scoraggiare!
Non preoccupatevi! / Non vi preoccupate!

Dimmi la verità.
Quando vedi Letizia, **dalle** questa lettera.
Vai alla posta oggi? Ma no, **vacci** domani.
Se non hai ancora fatto i compiti, **falli** ora.

Telefona a Giorgio e **digli** di venire domani.

In this table you can find all the possible combinations of the five imperative (command) verb forms, along with the various pronouns.

	+ lo	+ li	+ la	+ le	+ mi	+ ti	+ gli	+ ci	+ ne
dare	dallo	dalli	dalla	dalle	dammi	datti	dagli	dacci	danne
fare	fallo	falli	falla	falle	fammi	fatti	fagli	facci	fanne
dire	dillo	dilli	dilla	dille	dimmi	ditti	digli	dicci	dinne

 ATTIVITÀ DI SCRITTURA · WRITING ACTIVITIES

1 Fai pubblicità al tuo Paese!
You need to write a short article for an Italian web site and explain the do's and don'ts for tourists who would like to spend their holidays in your country. Write a brief introduction and a short list of recommendations.

2 Convinci un amico a ospitare studenti stranieri!
Write an email to a friend to convince him / her to host foreign exchange students from around the world, like you do.

3 Raccomandazioni per l'ospite
Recently, you have a foreign guest staying at your home.
You need to be away for several days and you want to ensure that your guest won't run into any problems and that, in your absence, he / she does and does not do certain things.
Write a brief message where you provide the guest with some brief instructions.

ACTIONS

accendere / spegnere il cellulare	to turn on / off the mobile phone
apprezzare lo sforzo	to appreciate the effort
avere intenzione	to intend
chiacchierare	to chat
condire (l'insalata, la pasta…)	to season (the salad, the pasta…)
coprire (le spalle, le gambe…)	to cover (one's shoulders, one's legs)
correre	to run
dissetarsi	to quench one's thirst
esplorare	to explore
fare il bucato	to do the laundry
fare la fila	to queue
fare pratica	to practice
gustare	to enjoy
pagare in contanti	to pay cash
parlare a voce alta	to speak loudly
partire alla scoperta	to leave to discover
praticare (una lingua)	to practice (a language)
programmare	to set up
scoraggiarsi	to get discouraged
sperimentare	to experiment
stipulare (un'assicurazione)	to take out (insurance)
stupirsi	to be amazed
migliorare	to improve

ICE-CREAM

affogato (m.):	*a scoop of vanilla ice cream with a small cup of coffee poured over it.*
gelateria (f.)	ice cream shop
gelato (m.)	ice cream
gusto (m.)	flavour
pallina (f.)	ice cream ball
panna (f.)	whipped cream
vaniglia (f.)	vanilla
merenda (f.)	snack

TYPES OF COFFEE

caffellatte (m.):	*beverage made of coffee and hot milk, without foam.*
caffè macchiato (m.):	*espresso coffee with a little milk (hot or cold).*
cappuccino (m.):	*beverage made of coffee and hot milk, with foam.*

ACCESSORIES AND CLOTHING

borsa (f.)	bag
canottiera (f.)	tank top
pantaloni corti (m., pl.)	shorts
portafoglio (m.)	wallet

FOOTBALL

calcio (m.)	football
partita (f.)	match
stadio (m.)	stadium

TO HOST / TO BE HOSTED

accogliere	to host
affittare	to rent
guadagnare	to gain
aumentare il reddito	to increase income
ospitare	to host
scoprire culture diverse	to discover different culture
alloggio (m.)	accommodation
famiglia ospitante (f.)	host family
ospitalità (f.)	hospitality
scambio linguistico (m.)	language exchange
semestre (m.)	semester

CHE DIFFERENZA...!

1   *Online it is easy to find opinions and impressions regarding the biggest culture shocks experienced by visitors to Italy from abroad: we have put together a list of the most common observations. Match the sentences with the pictures.*

1 In Italia, anche se non ti conoscono bene, ti salutano con dei baci.

2 In generale, gli italiani preferiscono non uscire quando piove.

3 In Italia l'orario è su 24 ore (non 12).

4 Generalmente solo chi sta facendo sport indossa vestiti sportivi.

5 Di solito gli italiani non bevono alcolici senza mangiare qualcosa.

6 La colazione italiana è dolce e scarsa, spesso solo caffè (o cornetto) e cappuccino.

7 Nei ristoranti servono acqua solo in bottiglia.

8 Ci sono orari precisi per i pasti, ma non sono gli stessi al Nord e al Sud.

2   *Do you know other differences between Italian customs and the customs of your country? What things do you think would shock an Italian when visiting your country?*

Episodio 15: CONOSCERE LE LINGUE

1 *Look at the following frame and try to guess which text is the right episode recap. Then watch the video and check your answer.*

a Due turisti stranieri chiedono un'informazione in italiano a Matteo, che prova a parlare francese, ma dà informazioni del tutto sbagliate. Valentina interviene e spiega la strada giusta ai due turisti.

b Due turisti stranieri chiedono un'informazione in italiano: Matteo gli dà le indicazioni e poi parla con Valentina delle lingue che conosce. Alla fine i due turisti passano ancora e dicono che Matteo ha dato informazioni sbagliate.

2 *Watch the episode again and mark the following sentences as true or false.*

		true	false
❶ Matteo parla il francese molto bene.		○	○
❷ I due turisti studiano l'italiano.		○	○
❸ Matteo ha studiato il francese a scuola.		○	○
❹ Valentina dice a Matteo che ha dato indicazioni sbagliate.		○	○
❺ I due turisti hanno seguito le indicazioni di Matteo.		○	○
❻ Matteo e Valentina non sono d'accordo su una preposizione.		○	○

3 *Change the following text from plural into singular.*

voi	tu
Bravissimi! Allora, vedete questa strada?	*Bravissimo!* _____
Fate 100, 200 metri e poi girate sulla destra.	_____
Altri 200-300 metri e siete in piazza Santa Croce.	_____
Ci mettete 5 minuti!	_____

4 *Look at the following frames and choose the correct option.*

Toglimi una curiosità…
Da quanto tempo non parli una lingua straniera?

❶ Con **Toglimi una curiosità…** Valentina vuole dire:

  a ○ Adesso ti dico una cosa molto interessante.
  b ○ Vorrei sapere una cosa.

Non sono convinto.
Comunque…

❷ Quando Matteo dice **Comunque…**, intende dire:

  a ○ In ogni modo, ho ragione io.
  b ○ Non ho voglia di parlarne.

In questa sezione vengono proposti due brani tratti da romanzi della letteratura italiana contemporanea, completi di attività di comprensione, lessicali e grammaticali.

Si tratta di un modo per introdurre lo studente alla lingua letteraria sin dai primi livelli di apprendimento. Al fine di una maggiore comprensione e in base anche alle caratteristiche grammaticali dei due brani, consigliamo di affrontare il primo brano *Risveglio* dopo la fine dell'unità 8 o 9 e il secondo brano, *Povera e allegra*, dopo la fine dell'unità 15.

SEZIONE LETTERARIA

LITERARY SECTION

This section offers two selected excerpts from novels of contemporary Italian literature, accompanied by exercises on reading comprehension, vocabulary, and grammar.

These materials provide a means of introducing literary language to students of Italian, even at the elementary level. To improve comprehension – while taking into account the grammatical features of the two excerpts – we suggest focusing on the first excerpt, *Risveglio*, after finishing unit 8 or 9, and engaging with the second, *Povera e allegra*, after finishing unit 15.

RISVEGLIO

1   Mi sveglio tardi, con un dolore generico al collo. Apro gli occhi, e per qualche secondo non riesco a capire dove sono. C'è una libreria di metallo bianco con un paio di annate del *National Geographic* e qualche numero di *Topolino**; un mappamondo su un cassettone; una bicicletta da bambini in un angolo; un paio di pattini a rotelle. Raccolgo l'orologio da terra: sono le undici e mezza.

5   Mi alzo, vado a lavarmi la faccia. Mi rado con il rasoio elettrico di Bob, che mi irrita leggermente le guance. Mi vesto. Vado in cucina, guardo nel frigorifero. Sento la porta d'ingresso che si apre, la voce di Sue che dice: "Fiodor?".

Viene in cucina con due sacchetti da supermarket in mano, mi dice: "Ciao, ben svegliato!".
Ha una voce allegra, modulata. Posa i sacchetti su uno scaffale e mi guarda, con le mani sui fianchi.
10 Ha un tailleur grigio gessato di buon taglio, una camicia blu di seta.

[…]

Le dico: "Ho dormito benissimo".

[…]

La guardo senza dire niente. Mi piace la luce della stanza, il colore dei mobili e delle piastrelle.
15 Mi piace essere in una casa con libri di cucina sugli scaffali, manifesti e calendari alle pareti.
Mi siedo al tavolo.

Sue dice: "Ti faccio un vero caffè all'italiana". Riempie il filtro della caffettiera, accende un fornello.
Ogni suo gesto è così facile e ben compiuto, originato da intenzioni così lineari.

Le dico: "È piacevole questa casa. C'è una bella luce".

20 Lei gira la testa; dice: "Sul serio ti piace? A me sembra così senza carattere. Ogni volta che ne parlo con Bob finiamo per litigare".

"No, mi piace molto", dico io. Mi interessa solo questa cucina, comunque; non mi importa niente della casa nel suo insieme.

• • • selected from Uccelli da gabbia e da voliera, di Andrea De Carlo, Mondadori, 1982 • • •

1 *Indicate whether each statement is true or false.*

		true	false
❶	Il protagonista si sveglia a casa sua.	○	○
❷	La donna che entra in casa ha fatto la spesa.	○	○
❸	Sue è vestita in modo elegante.	○	○
❹	Al protagonista piace la cucina dell'appartamento.	○	○
❺	Sue vive con una persona che si chiama Bob.	○	○

* *Italian name for Mickey Mouse.*

2 *Find sentences from the excerpt that can support the hypotheses in the balloons, as in the example.*

❶ "una bicicletta da bambini in un angolo"

❷ _____

❸ _____

❹ _____

❺ _____

❶ Chi vive in questo appartamento ha figli.

❷ Il protagonista ha dormito fino a tardi.

❺ Bob e Sue non sono d'accordo sulla casa.

❸ Sue e Fiodor non sono in Italia.

❹ A Fiodor piace la casa.

3 *Find the words and expressions in the text that have the same meaning as the expressions in the following list. The numbered lines of text indicate where to look.*

1	non specifico	_____
2	due	_____
4	prendo da terra	_____
5	mi faccio la barba	_____
8	buste della spesa	_____
9	mette	_____
12	molto bene	_____
15	muri	_____
20	impersonale	_____
23	in generale	_____

4 *Rewrite the passage of text in the* **passato prossimo**, *as in the example.*

Mi alzo / _____, vado / _____ a lavarmi la faccia.
Mi rado / ___Mi sono raso___ con il rasoio elettrico di Bob, che mi irrita / _____
leggermente le guance. Mi vesto / _____. Vado / _____ in cucina,
guardo / _____ nel frigorifero. Sento / _____ la porta d'ingresso
che si apre / _____, la voce di Sue che dice / _____: "Fiodor?".
Viene / _____ in cucina con due sacchetti da supermarket in mano,
mi dice / _____: "Ciao, ben svegliato!" […] Posa / _____ i sacchetti
su uno scaffale e mi guarda / _____, con le mani sui fianchi.

5 *Only one of the following three plots is the one from the book. Which one is it?*

Alberto è un giovane italiano in vacanza negli Stati Uniti insieme al suo cane Fiodor: un giorno, dopo un incidente stradale, si sveglia in casa di una coppia di sconosciuti, dove accadono cose molto strane. Inoltre, Fiodor è scomparso e Alberto inizia la sua ricerca tra misteri e colpi di scena.

Dopo un incidente d'auto in California il giovane Fiodor, italiano cresciuto all'estero, accetta un lavoro in una grande azienda statunitense. Ma presto si stanca del lavoro e lascia gli Stati Uniti. Tornato a Milano, incontra una ragazza affascinante e misteriosa.

Sue e Bob sono due turisti americani in vacanza a Milano, ospiti di Fiodor, un giovane che affitta il suo appartamento per vivere e realizzare il suo sogno: diventare un famoso musicista. Ma un giorno la coppia scopre che Fiodor non è la persona che sembra.

l'autore

Andrea De Carlo (Milano, 1952) è uno scrittore italiano autore di oltre venti romanzi. Il suo primo libro, *Treno di panna*, del 1981, ha avuto un notevole successo, non solo in Italia. *Uccelli da gabbia e da voliera* è il suo secondo romanzo, pubblicato nel 1982. I suoi libri sono tradotti in ventisei lingue e molti sono diventati best seller internazionali, come *Due di due* e *Tecniche di seduzione*.

POVERA E ALLEGRA

Alle sei e cinque avevo la sveglia, alle sei e dieci ne avevo un'altra. La prima sveglia mi piace perché c'è la seconda: sono i cinque minuti più miei che riesco a immaginare. Non penso a niente, non sono niente. Con quella delle sei e dieci mi sono svegliata davvero, ho fatto schioccare il collo e mi sono stirata le braccia, le mani, ogni dito. Mi sono alzata e ho sentito la moquette sotto i piedi. Pizzicava, come sempre. Non era una moquette morbida, come quella a casa di Anna. Era una moquette povera e mi dava il nervoso proprio perché era povera, così come quella di Anna mi piace proprio perché è ricca. Di base, preferirei quella dura, che quasi fa un massaggio e anche il solletico, ma visto che quella dura è quella povera, la odio. E poi la nostra è beige, che è il colore più povero solo dopo il grigio delle scuole.

Essere povera non mi piace. Papà dice che invece va bene lo stesso, perché ci amiamo e finché c'è l'amore è tutto ok. Io non sono d'accordo ma annuisco, perché altrimenti lui e mamma fanno gli occhi tristi e io mi sento sia povera che cattiva. Essere sia poveri che cattivi dovrebbe essere vietato dalla legge, quantomeno per una questione di salute.

Ho chiuso la borsa, girato due volte attorno alla sedia e tirato su la zip della felpa. Ho aperto la porta, dando due colpetti con le dita sul pomello, e sono scesa in soggiorno.

Ho mangiato cereali e bevuto il succo d'arancia. Mamma mi ha dato un bacio e mi ha detto Chiama presto e Ci mancherai. Dal divano papà ha detto Ciao e In bocca al lupo.
Quando sono uscita, il pulmino della squadra era lì.

• • • selected from Corpo libero, di Ilaria Bernardini, Feltrinelli, 2011 • • •

1 *Read the text again. What do the highlighted parts mean? Write the words next to their meanings, as in the example.*

ⓐ Qualcosa che provoca la risata al contatto della pelle.

ⓑ Muovere la testa destra e a sinistra in modo da sentire un rumore secco.

ⓒ Provocava prurito o un leggero fastidio.

ⓓ Faccio di sì con la testa.

ⓔ Ho teso alcune parti del corpo dopo un periodo di inattività.

ⓕ Rivestimento morbido per pavimenti, usato soprattutto per case e uffici.

ⓖ Piccolo autobus.

ⓗ Oggetto sferico di solito su porte e mobili, per vari usi. → pomello

2 *Choose the correct option.*

1 Alla protagonista piace
 a○ alzarsi subito.
 b○ restare un po' nel letto.

2 Alla protagonista non piace
 a○ il colore beige.
 b○ la moquette dell'amica.

3 La protagonista ha
 a○ un'amica ricca.
 b○ un'amica povera.

4 La protagonista non vuole
 a○ rendere triste la sua amica.
 b○ rendere tristi i genitori.

5 La protagonista parte
 a○ per un viaggio con le amiche.
 b○ per una gara di ginnastica.

6 Il padre della protagonista
 a○ fa colazione con lei.
 b○ le augura buona fortuna.

3 *Write the opposite meanings of the highlighted words, as in the example.*

Alle sei e cinque avevo la sveglia, alle sei e dieci ne avevo un'altra.
La **1** prima sveglia mi piace perché c'è la seconda: sono i cinque minuti più miei che riesco a immaginare. Non penso a **2** niente, non sono niente. Con quella delle sei e dieci **3** mi sono svegliata davvero, ho fatto schioccare il collo e mi sono stirata le braccia, le mani, ogni dito. Mi sono alzata e ho sentito la moquette sotto i piedi. Pizzicava, come **4** sempre. Non era una moquette morbida, come quella a casa di Anna. Era una moquette **5** povera e mi dava il nervoso proprio perché era povera, così come quella di Anna mi piace proprio perché è ricca. Di base, preferirei quella dura, che quasi fa un massaggio e anche il solletico, ma visto che quella dura è quella povera, la **6** odio. E poi la nostra è beige, che è il colore più povero solo dopo il grigio delle scuole. Essere povera non mi piace. Papà dice che invece va bene lo stesso, perché ci amiamo e finché c'è l'amore è tutto ok. Io non sono d'accordo ma annuisco, perché altrimenti lui e mamma fanno gli occhi **7** tristi e io mi sento sia povera che **8** cattiva. Essere sia poveri che cattivi dovrebbe essere vietato dalla legge, quantomeno per una questione di salute. Ho chiuso la borsa, girato due volte attorno alla sedia e tirato su la zip della felpa. Ho aperto la porta, dando due colpetti con le dita sul pomello, e **9** sono scesa in soggiorno. Ho mangiato cereali e bevuto il succo d'arancia. Mamma mi ha dato un bacio e mi ha Chiama presto e Ci mancherai. Dal divano papà ha detto Ciao e In bocca al lupo. Quando **10** sono uscita, il pulmino della squadra era lì.

1 | ultima

2 |

3 |

4 |

5 |

6 |

7 |

8 |

9 |

10 |

l'autrice

Ilaria Bernardini (Milano, 1977) è una scrittrice, sceneggiatrice e autrice televisiva. Ha scritto romanzi, racconti, programmi televisivi e film. Uno dei suoi romanzi, *The Portrait* (2020), è scritto in lingua inglese. Lavora anche per MTV e scrive per importanti riviste come *Rolling Stone, GQ, Vogue.*

APPUNTI